ƒ
0.50

L'AMOUR D'UNE AUTRE

PIERRE STEWART

L'AMOUR D'UNE AUTRE

Sotie

Pierre Tisseyre

8955 boulevard Saint-Laurent, Montréal H2N 1M6

Dépôt légal: 4ème trimestre de 1975
Bibliothèque nationale du Québec

ISBN-7753-0081-0

à l'héroïne de ce livre

(...) que je regrette le plus d'avoir chassée de mon imagination, pour la loger tristement dans mes souvenirs!

Gérard de Nerval
(Lettre 100)

PREMIÈRE PARTIE

« Cela restera entre nous, c'est à peine réel puisque personne ne le saura, cela n'a pas avec le monde réel de rapport qui lui permette d'y accéder... »

Robert Musil
(La tentation de Véronique la tranquille)

1

Si Andrée avait voulu isoler le jour où son mal avait commencé, elle n'aurait pu le faire. Car cette journée du départ pour le chalet d'hiver avait été en tout si peu remarquable qu'elle n'eût pu rien en dégager. Pourtant, elle était ce jour-là si différente de ce qu'elle deviendrait que ce temps semblait relever d'une autre existence.

Elle avait trouvé un certain charme à parcourir, un jour de vacances, les allées grises qui menaient au collège. On s'y sentait plus léger qu'à l'ordinaire. C'est là qu'on s'était fixé rendez-vous pour le départ; en s'approchant de cette muraille et de ces portiques festonnés, on savait qu'on n'apprécierait que mieux de les laisser derrière soi.

Andrée avait été invitée à la dernière minute. Son amie ne lui avait dit que peu de choses sur cette randonnée, sauf que son père organisait tout, que tout ce qu'il fallait était prévu. Andrée avait compris que, par un jeu de logique éliminatrice, ce serait Marc qui lui tiendrait surtout compagnie.

On ne fut pas trop surpris qu'à l'heure dite, tous les cinq ne fussent pas là. On dut attendre Marc dans cette espèce d'ancien parloir, incroyablement sombre, si parfaitement ciré et poli que tout son y semblait étranger et qu'un bruit s'entendait comme une vibration dramatique et nerveuse. Les tentures étaient si bien tirées qu'on ne voyait rien du fond de la salle. Si les lourdes portes extérieures s'ouvraient, alors seulement une vague de lumière s'engouffrait, éblouissante, et pour de longues secondes on restait aveuglé.

Pourquoi on avait attendu Marc deux heures, on ne sait plus. On avait fait les cent pas, bavardé, l'impatience avait monté. À la fin, une certaine hébétude s'était installée. Andrée était assise par terre, une jambe allongée, l'autre genou au menton. La cellule du portier était ouverte et l'embrasure découpait un rectangle d'éclairage jaune; ce rectangle animé contrastait avec l'immense salle obscure et les larges corridors en perspective qui semblaient percer et encercler le collège.

En fait, cette ancienne cellule de portier logeait maintenant la centrale téléphonique. Une jeune fille s'y affairait, et Andrée, assise, la suivait des yeux.

Cette forme pâle se déplaçait par élans, et quand elle la fixait, c'était le reste du décor qui semblait, à chaque mouvement, perdre pied et vaciller un instant, avant que, par un effort de concentration, le tableau se rajustât. Était-ce un jeu d'optique, d'éclairage? Ou était-ce plutôt que cette forme semblait à Andrée transportée là par une illusion inexplicable, incorrecte. Il lui semblait reconnaître quelque projection née du dedans d'elle-même, qui ne pût s'encadrer dans le monde qu'elle observait.

Et pourtant cette jeune fille ne lui rappelait rien de réel. Ses cheveux étaient blonds, ou châtain clair, très lisses, tirés en arrière. C'était l'expression de sa figure qui l'avait frappée, une certaine constante dans toutes les variations de son expression, dans son sourire comme dans son effort d'attention: une certaine angoisse, mais calme, comme acceptée, un air d'incertitude, mais curieux, éveillé, agressif.

Deux fois, elle passa près d'Andrée, un café à la main. Celle-ci absorbait cette image, et de ses variations il se dégageait une forme très nette, caractérisée, dont l'essence semblait si simple et si immédiate qu'elle en acquérait une force obsessive.

Un brouhaha soudain surprit Andrée. Tout le monde se levait. Marc était enfin là. On s'embrassait, on se bousculait, on récupérait ses affaires. On partait.

Andrée, avant de sortir, se reprit à regarder cette étrange salle. Elle cherchait ce qu'avaient soudain d'inquiétant cette obscurité, cette froideur géométrique, les réverbérations nettes et irrépressibles de chaque son.

On s'entassa dans la voiture. Des victuailles pour cinq jours remplissaient le coffre. Il ne manquait que le vin, ce qui nécessita un dernier arrêt. Puis on partit pour de bon. Le temps était un peu sombre, mais après quatre heures de route, le ciel s'était dégagé complètement. On arriva au village sous un ciel d'un bleu étincelant.

Il y avait partout plus de trois pieds de neige. En arrivant devant l'entrée du chemin qui menait au chalet, on réalisa la situation. Ce chemin faisait un demi-mille au moins. Bien entendu, il n'était pas déblayé. Il fallut dégager à la pelle une largeur de voiture, pour garer l'auto dans l'entrée, puis retourner au village chercher un cheval et un traîneau qui pourraient transporter la troupe au chalet. L'équipage trouvé, on chargea tous les bagages, mais on n'avançait pas comme on voulait. Le cheval enfonçait jusqu'au ventre, n'avançait que par pouces, et devait se reprendre s'il s'était attaqué à un banc de neige un peu plus haut qu'ailleurs. On ne réussit à faire ainsi que la moitié du chemin et il fallut abandonner. On avait une seule paire de raquettes, que l'amie d'Andrée et son père avaient apportée. Celui-ci se rendit au chalet en chercher d'autres, on laissa les bagages là, on renvoya le cheval, et il fallut plusieurs voyages pour tout transporter en raquettes sur le reste du trajet. On savait qu'on ne reviendrait à l'auto que cinq jours plus tard.

Le chalet n'avait pas été ouvert depuis octobre. Quand tout le monde fut à l'intérieur et qu'on eut allumé les foyers, ce fut la détente générale. On était épuisé, mais étrangement satisfait. C'était déjà la brunante. Andrée était frappée de cette sensation d'isolement complet. Et cet isolement semblait convenir si bien à cette journée, l'univers extérieur semblait avoir pris un si grand recul, qu'elle se sentait transformée, renouvelée.

Cette soirée se passa en pleine euphorie, animée d'une joie qu'Andrée comprenait sans s'y joindre. Marc la trouva différente, plus lointaine. Habitué à trouver chez elle une oreille plus curieuse, il devait insister davantage sur les divers points des discours qu'il lui tenait. Il lui parlait surtout de lui-même, et ce sujet ne l'intéressait que bien relativement.

— Si tu ne veux pas que je m'occupe de toi, tu n'as qu'à le dire!

15

— Bon! quoi! c'est un nouveau drame, ça?

Il fit mine de l'abandonner. Mais après quelques minutes, il revint lui dire:

— On ne t'a pas invitée pour que tu réfléchisses à des théories sur l'existence, ma petite fille!

— Non! c'est parce qu'on avait peur que tu t'ennuies tout seul, et ils savent que moi je suis bonne avec toi!

— Bon, j'aime mieux ça. Elle revient au naturel!

Chaque jour, on prenait un temps infini pour préparer les repas, manger, couper le bois. On ne pouvait se promener qu'en raquettes, sur le flanc de la montagne ou jusqu'au lac. Le soir, après le souper, on contemplait le spectacle d'une somptueuse boustifaille à laquelle on avait fait grand honneur. Le feu crépitait. On passerait la soirée en chansons et en danses.

Ce fut le dernier jour, la veille du départ, que les réflexions d'Andrée se précisèrent. Marc était devenu sombre. Il lui parlait peu, et seulement avec une politesse un peu étudiée, une certaine douceur inquiète et contrôlée. En d'autres temps, ils auraient dissipé cette tension en balivernes, en bousculades, en tours pendables.

Andrée étudiait le tableau qu'elle avait elle-même brossé mentalement et qui figurait ces quelques jours de vacances, ce tableau qui se figeait maintenant et devenait si totalement sta-

tique: cette neige infinie, ce ciel bleu, cette lumière éclatante, le chalet investi, chauffé comme
un antre, cet isolement, ce silence; et elle en
réalisa soudain l'atmosphère de définitive sécurité... Mais d'où venait cette angoissante impression de quelque détail impossiblement faux,
comme si la substance même de ce tableau allait
s'évanouir?

Il lui sembla qu'elle voyait comme de l'extérieur la dernière image de cette sécurité qui,
pour lui être apparue un instant si parfaite, allait
la quitter sur cette dernière scène d'une première vie... sa deuxième vie était peut-être
déjà commencée, était peut-être déjà installée
en elle, avait peut-être déjà gagné sur elle une
irrévocable emprise...

Ces images finirent par lui échapper. Elle
se vit en face d'elle-même, se sentit douloureu-
sement lucide, et c'est avec hésitation qu'elle se
laissa comme redescendre dans la vie réelle.

De tout le voyage de retour, Marc ne dit
mot à personne.

2

Il y avait six mois que cela s'était passé. Andrée ne se souvenait plus très bien du déroulement précis des événements; pourtant, après si longtemps, ce bizarre voyage s'imposait encore à elle par une foule d'impressions et d'états d'âme qui ne laissaient de s'aviver. Elle se refusait à chercher ce que ces images avaient eu d'inquiétant. Elle évitait d'y réfléchir. Ces quelques jours, sûrement, avaient marqué une rupture avec ses amis habituels, qu'elle rencontrait maintenant de moins en moins et tenait écartés. Elle refusa de voir Marc pendant plusieurs mois. On la sentait un peu tendue, comme si elle préparait quelque drame. Elle ne voyait plus que son amie, et encore était-ce pour ne pas paraître trop seule. Cette habitude était venue naturellement, par le fait qu'elles habitaient la même maison, une immense résidence gothique, à porche et pignons. En fait la famille de son amie occupait le deuxième étage et la famille d'Andrée le premier. On partait pour les cours ensemble. On travaillait ensemble les leçons de philosophie et de littérature. Mais leurs relations étaient devenues de plus en plus impersonnelles, et Andrée était consciente du détachement, de l'indifférence qu'elles n'abandonnaient pas, même quand elles se laissaient aller à discuter de ce qui les préoccupait. Elles auraient été surprises et choquées si, de part ou d'autre, quelque argument avait dépassé les limites tacites qu'elles observaient, et qui les cantonnaient à un simplisme contrôlé, à une désinvolture superficielle mais entretenue.

À quoi tenait cette hantise d'Andrée de défendre soudain presque sauvagement l'intimité de ses sentiments... elle-même ne le comprendrait que plus tard.

Un jour qu'elles discutaient comme à l'accoutumée, Andrée, tout à coup, comme pour rompre finalement cette situation instable, s'ébroua brusquement d'un grand geste théâtral qui interrompit son amie, et laissa tomber avec un calme d'autant plus frappant:

— Je ne sais pourquoi je t'écoute. Je ne sais pas.

Celle-ci resta figée, comme inquiète. Et Andrée continua:

— Ce que tu me dis est si faux. Ça a si peu d'importance. D'abord tu n'en penses pas un mot. Pourquoi me parles-tu de ça?...

Puis, après quelques instants de silence, comme l'autre, interloquée, allait répondre, elle l'arrêta:

— Non, laisse... c'est ma faute... D'abord, c'est aussi bien moi qui n'avais rien à te dire...

Plusieurs heures après, elles se demandaient encore ce qu'elles avaient dit et ce qu'elles avaient voulu dire.

Pendant quelques jours, elles ne se virent pas, comme si c'était convenu. Le mardi, Andrée ne se sentit pas bien et resta chez elle. Elle passa la journée assise dans le grand fauteuil du salon, devant la large fenêtre et la fougère. De temps en temps elle levait l'index et disait à haute voix:

— Cette fougère est sympathique!

De la fenêtre, elle vit passer dans la rue une grande fille blonde, et tout à coup cette image la frappa. Elle ne trouva pas tout de suite ce qu'elle pouvait avoir de particulier. Puis soudain, son air un peu crispé, sa démarche nerveuse lui rappelèrent nettement la jeune fille du standard téléphonique qu'elle avait observée le jour du départ pour le chalet. Mais non, ce n'était pas elle. En fait, en la détaillant mieux, elle ne parvenait plus très bien à retrouver les traits de ressemblance qu'elle avait crus tout d'abord si frappants. Ce qui ne l'intrigua que davantage.

Une heure après, la jeune fille repassa en sens inverse. Elle portait un pantalon de velours côtelé et une blouse de toile fine à col ouvert. Andrée observait ses mouvements et il lui sembla qu'elle en enregistrait toutes les nuances, comme si elle disséquait les gestes appliqués d'une danse classique. Elle réalisa tout à coup que cette fille l'attirait, et cette idée se matérialisa, se condensa soudain en elle, avec une netteté quasi factuelle. Andrée interrompit ses réflexions et se leva. Si cette idée s'était imposée à elle sans choc, sans surprise, sans qu'elle en soit affectée, cela tenait à la simplicité immédiate de cette idée, à son existence claire et presque théorique, et elle refusa de la considérer dans sa vérité pratique, plus étoffée, complexe, vivante. Cette idée ne lui semblait déjà plus si nouvelle, et elle n'en était pas curieuse.

Andrée devait retourner au collège le soir. Elle participait à la régie d'une pièce de théâtre qu'on répétait en ce moment. Elle passa chercher son amie en haut de chez elle, et elles s'y rendirent ensemble.

On en était ce soir-là au troisième acte, et on comptait plusieurs personnages nouveaux à la répétition. Dans le rôle d'une soubrette de comédie, elle reconnut la fille blonde de l'après-midi. C'était là une coïncidence pour le moins frappante. Mais alors son amie la connaissait sûrement, car elle avait mis la dernière main à la distribution.

Effectivement, elle l'entendit nommer. Elle s'appelait Sophie.

Andrée devait souffler plusieurs scènes. En répétition, ce travail se faisait plutôt à l'avenant, et tout en vérifiant les accessoires ou en cherchant des astuces de mise en scène.

Sophie n'avait à paraître que pour de brèves interventions. Le reste du temps, elle se retirait dans un coin du plateau, se laissait tomber par terre et surveillait l'activité générale. Elle prenait diverses poses, toutes plus inconfortables les unes que les autres, qui lui donnaient l'air triste d'une poupée désarticulée. Chaque mouvement brusque de ses longs membres manifestait avec un relief assez frappant soit un ennui qui semblait presque physique, soit plutôt une indifférence radicale.

Pendant une interruption, Andrée s'approcha d'elle et lui dit, en montrant son costume:

— Je pense qu'avec ces dentelles et tout, là, ça ne peut pas aller. On doit avoir quelque chose de plus simple. Si on habillait les bonniches comme ça, elles n'oseraient plus se mettre à l'ouvrage.

Sophie sembla acquiescer, mais ne dit mot. Andrée la fixa des yeux quelques instants, apparemment absorbée par la question du costume, puis revint à sa place avec le même air pensif.

La répétition finit assez tard, et il fallut sortir par l'aile centrale et la porte principale. Devant la loge du portier, on continuait à discuter de la pièce, on s'attardait à régler quelques détails. D'ailleurs les deux taxis qu'on avait appelés tardaient à arriver.

On vérifia à la loge qu'on les avait bien commandés. C'était la même jeune fille qui remplaçait le portier ce soir-là que le jour du départ pour le chalet. Ce n'était que la deuxième fois qu'Andrée la voyait, mais elle la reconnut avec la même surprise que si elle l'avait vue cent fois et qu'elle fût soudain différente. Elle lui sembla d'un type si particulier qu'elle pût passer pour unique, comme d'une race à elle propre, mais en même temps d'un caractère qu'Andrée retrouvait de plus en plus chez d'autres, comme au moment où, en observant Sophie, un peu plus tôt, elle avait fait un rapprochement et s'était dit que Sophie avait les traits de l'autre. Mais devant elle, en personne, elle avait peine à préciser les détails de cette ressemblance, elle ne pouvait en rien les confondre l'une l'autre, les rôles qu'elle leur assignait n'étaient nullement interchangeables, et c'était pour elle une donnée primitive et indiscutable que Sophie était la copie et la première le modèle.

Andrée s'aperçut que ce qui l'avait frappée, des gestes de Sophie, n'était peut-être pas ce qu'ils avaient de plus caractéristiques d'elle, mais plutôt ce par quoi ils correspondaient le plus au type de cette autre jeune fille dont elle ne savait pas le nom. Elle en dégageait maintenant l'essentielle brusquerie, où chaque mouvement même appliqué semblait imprévisible, où ses longs bras très fins se détendaient en gestes décidés, mais forcés, non définitifs, manquant manifestement de sûreté, comme s'ils allaient être repris, comme s'ils avaient été posés à l'essai, quoique avec audace, et qu'après en avoir vu l'effet sans désastre, on pût les approuver.

Sa démarche était un peu sautillante, elle pivotait pour changer de direction, et ses gestes très déliés s'ajustaient à cette allure. Tout son corps était très étroit, et ne semblait formé que de cette fine ossature, qui s'articulait avec cette grâce unique, si on peut appeler grâce cette transparence, cette parfaite transcription de son caractère dans ses gestes, cette nervosité essentielle, cette émotivité, cette féminité, alliée à cette teinte d'anxiété fondamentale, à cet élément d'insécurité manifeste.

Dans sa conversation, une certaine réticence était apparente, maintenue comme par protection. Et ces traits semblaient à Andrée si visibles d'un seul coup d'oeil, il lui semblait la comprendre si entièrement, qu'elle lui paraissait atteindre une perfection insurpassable, irremplaçable, définitive. Elle la trouva belle. Et cette idée particulière de la beauté qu'elle concevait en ce moment lui apparut comme une idée d'une justesse nouvelle. Elle n'était pas étonnée de trouver cette jeune fille attirante; cette idée lui semblait soudain raisonnable.

La jeune fille conversait avec l'amie d'Andrée, et Andrée lisait sur sa figure une réserve, une certaine distance, une simplicité posée, mais qui ne contredisait pas une insaisissable impression de douceur.

Cette scène ne dura que quelques minutes. Les voitures finirent par arriver, et on partit.

Durant les mois qui suivirent, Andrée emprunta occasionnellement la porte centrale, mais elle n'aperçut plus la jeune fille qu'elle y avait déjà vue.

Mais Swann ne savait pas inven-
ter ses souffrances. Elles n'étaient
que le souvenir, la perpétuation
d'une souffrance qui lui était
venue du dehors.

Marcel Proust
(À la recherche du
temps perdu)

3

Il y avait maintenant dix mois qu'Andrée avait vu cette jeune fille pour la première fois. Mais ce n'était que récemment que cette image avait commencé à lui peser. Elle avait reconnu qu'un certain agacement que lui causait parfois la société de ses amis coïncidait avec l'intrusion de ces images. Même si ces distractions étaient assez insidieuses, elles prenaient quand même comme d'assaut sa tranquillité. Elle sentait presque avec urgence qu'il fallait mettre ordre à ses idées, et cette fébrilité se prolongeait sans que le brouillard s'amincisse, s'exacerbait en travail de réflexion qui de plus en plus se révélait pure rêverie et qui n'avançait à rien.

Un soir qu'elle était seule chez elle, terminant un travail, elle fut soudain frappée par le martellement régulier de la pluie et les rafales de vent. Elle éteignit tout, s'affubla d'un imperméable bigarré et sortit. Jamais elle n'avait vu les rues si désertes, ni la nuit si noire. La lumière des lampadaires lui semblait n'être que des points de repère minuscules et irréels qui se déplaçaient autour d'elle par une lente transformation géométrique. Ce décor de désolation atteignait son paroxysme: la toile de fond, si sombre et brumeuse qu'on pouvait craindre d'y perdre tout contraste, la pluie légère, tiède, d'une constance si parfaite qu'elle devenait imperceptible, extrasensorielle, et, à cette heure tardive, l'absence de toute vie; elle entendait le vent se presser par bourrasques, mais sans effet, comme dans un monde vide.

Ce moment lui sembla grave. Elle se sentait inexorablement seule face à elle-même, plus seule qu'elle n'aurait cru possible. Et elle jouissait de cette sensation de totale lucidité, elle pénétrait profondément en elle-même, mais ce qui se révélait à elle avec cette parfaite acuité, c'était l'état inextricable et insoluble de ces contradictions qu'elle ne concilierait pas.

— Si je sais ce que je veux, et si je sais ce qui aurait pu être...

Elle s'interrompit, répétant et laissant flotter dans sa tête plusieurs fois les mêmes mots.

— Si je sais ce que je veux, et si je sais pourquoi, et si je sais ce qui aurait dû être autrement, et si je refuse de rien changer, est-ce parce que j'en suis incapable, ou est-ce parce que j'accepte et entretiens cette impuissance, et cette acceptation n'est-elle pas active, constructive, et n'est-elle pas la cause de ce qui est ?

Elle crut un instant n'avoir jamais atteint une telle clarté de vision. Puis aussitôt elle se sentit perdue dans un dédale d'incohérences.

Elle s'aperçut qu'elle avait parlé à haute voix. Elle marchait lentement, comme pour s'incorporer à cette averse, à cette nature qui avait atteint un état de vide palpable... ou impalpable, ce qui pour le vide revient au même...

Devant elle défilait la rue infinie mais tronquée par le rideau diffus de la pluie. Elle se sentait comme dans un couloir.

Soudain elle réalisa qu'elle était revenue devant chez elle. Elle entra, mais n'alluma pas, enleva son imperméable et s'avança dans la grande pièce donnant sur la rue. Les rideaux n'étaient pas tirés, et elle contempla à nouveau la rue déserte. Elle alla s'asseoir au fond de la pièce, au bas du grand escalier recouvert de tapis, d'où elle voyait encore la rue, et s'enfonça dans ses pensées. Cet escalier, qui anciennement reliait les deux étages, ne servait plus, maintenant qu'on avait fait deux logements de la maison et que la porte du haut avait été condamnée.

Assise au bas des marches, dans le silence, elle s'aperçut qu'elle entendait faiblement un son de voix venant du deuxième, et se retournant elle vit sur le mur la trace diffuse que devait y laisser la raie de lumière qui passait sous la porte.

À ce moment elle eut cette diabolique idée, et se surprit elle-même à gravir l'escalier à pas feutrés et à appliquer l'oeil à l'espace libre sous la porte.

Elle vit son amie et une autre fille qu'elle ne reconnut pas tout de suite, assises par terre devant le phono. Puis cette dernière, en s'appuyant sur un coude, se tourna un peu. C'était Sophie. Andrée ne les avait jamais aperçues ensemble; mais elle n'avait vu son amie que très rarement depuis quelques semaines.

Sophie lui disait:

— C'est ce que j'essayais de faire, mais je n'avançais à rien à ce moment-là. J'avais la tête ailleurs. Je ne peux pas travailler à quelque chose qui n'a aucun rapport avec ce qui me préoccupe, quand je sais qu'il y a tant de choses que je pourrais faire, des choses décisives, importantes, urgentes... Et en plus, je n'étais pas sûre... je n'étais pas sûre de toi...

— Je sais que je t'ai négligée un peu. D'abord il y a eu tellement de travail, et je voulais attendre d'avoir toute ma tête à moi. Je voulais avoir bien le temps de réfléchir. Et puis, moi non plus je n'étais pas sûre de toi!

Comme Sophie s'allongeait davantage sur le tapis, Andrée vit que la blouse de la jeune fille était complètement détachée et que les pans en flottaient librement. Elle n'avait pas remarqué, comme son point de vue lui laissait peu de perspective, qu'elles étaient appuyées l'une sur l'autre. Son amie posa la tête sur l'épaule de Sophie. Andrée observait leurs étreintes et leurs caresses, sans gêne, surexcitée, ou plutôt dans un état de choc, dû non à sa surprise, mais à l'envoûtement de cette séance, de ce rite qu'il ne fallait pas corrompre.

— Tu ne te dérobes pas aujourd'hui... c'est la première fois que je ne retrouve plus... ce reste de réticence...

— Voilà! dis que j'ai perdu toute réserve...

— La réserve! on peut l'abandonner aux autres... et le souci des apparences... et la tenue aussi.

Andrée conciliait mal l'image qu'elle s'était faite de Sophie et le rôle qu'elle lui voyait tenir dans cette scène. Et c'est une nouvelle Sophie qu'elle verrait maintenant.

Devant l'audace de leurs ébats, Andrée ne se détourna pas. Elle se sentait totalement extérieure à leur activité qu'elle ne concevait pas pouvoir déranger, qui lui semblait impénétrablement fermée sur elle-même, imperturbable, inobservable.

Andrée assista à tout, jusqu'à la fin, jusqu'à l'épuisement de cette cérémonie.

Elle resta même allongée au haut de l'escalier lorsque Sophie fut partie et que les lumières se furent éteintes.

4

Durant les mois qui suivirent, Andrée devint obsédée par un rêve qui se reproduisait de temps en temps. La scène se passait toujours dans un dédale de corridors prenant souvent la forme d'une espèce d'armature métallique qui se dressait à des centaines de pieds de terre: les corridors étaient formés d'une foule de tronçons assez courts, qui s'aboutaient par des centaines de coudes et d'escaliers, et communiquaient par des ascenseurs et des couloirs vitrés d'où on apercevait le monde extérieur par toutes sortes de points de vue qui surgissaient inopinément. Toujours Andrée tentait d'une façon ou d'une autre de rejoindre la jeune fille blonde qu'elle avait vue la première fois deux ans plus tôt. Et toujours cette jeune fille jouait avec elle quelque jeu de triangle. Parfois elles étaient ensemble et s'entendaient pour se rejoindre ailleurs, se séparaient, puis Andrée, désorientée, ne pouvait la retrouver dans cette structure trop complexe. D'autres fois, elle errait au début de son rêve, et soudain l'apercevait, tentait de la suivre, mais la perdait de vue à un tournant, et ne retrouvait plus sa trace. Puis elle en vint à être pourchassée par des rêves plus déprimants: elles se donnaient rendez-vous, se quittaient, puis Andrée, la cherchant partout, d'une salle à l'autre, d'une fenêtre à l'autre, la surprenait soudain avec un homme, s'enfuyant en riant. À son réveil, cela lui semblait simpliste, mais elle réalisait que ces rêves étaient graves: les émotions qui s'y rattachaient étaient si vives, lui laissaient une impression si déchirante que la substance du rêve en devenait sérieuse. Elle réalisait aussi que c'étaient sans doute les émotions elles-mêmes qui étaient la cause première de ces rêves et que la trame anecdotique qui s'y greffait pouvait n'être qu'accidentelle. Pourtant, par quelque effet de renforcement, cette trame se précisait, les caractères en devenaient très clairs et inséparables. C'était l'association de l'émotion première et de la situation décrite qui avait amorcé cette obsession. Et si elle n'avait pas vu la jeune fille depuis longtemps, elle craignait maintenant de la revoir, de peur de traverser le chemin inverse, et de donner à cette jeune fille une importance qu'elle n'avait pas. Ou avait-elle au contraire une importance qu'elle ne comprenait pas?

Dans chacun de ces rêves, la jeune fille était toujours caractérisée par les mêmes traits. La démarche très déliée, saccadée, nerveuse. La mine assez sombre, où transparaissait le tempérament sensible et anxieux, subitement transfigurée par un sourire sans réserve. Et toujours cette apparition qu'elle poursuivait en venait à s'évanouir subrepticement, il fallait tenter de la rattraper, et immanquablement on se perdait dans quelque labyrinthe indéchiffrable.

En même temps, ces rêves avaient à certains moments une douceur inhumaine, et au réveil Andrée ressentait une déception insurmontable d'en avoir perdu les images et de savoir qu'elle ne les retrouverait jamais dans la vie réelle. Et si elle recomposait toujours à nouveau le même rêve, n'était-ce pas qu'elle cherchait incontrôlablement à le revivre?

Ce fut en ce temps-là qu'elle partit pour l'étranger avec son amie, son copain Marc, et deux autres amis, Céline et Jean-Charles. Ce voyage dura huit mois, et ils furent mêlés à plusieurs épisodes de la guerre qui se déroulait dans ce pays. Ils n'allaient pas au front, mais devaient remplacer, pour les travaux ordinaires, dans les villages, les jeunes gens partis à la guerre. Pour eux, il s'agissait surtout de travaux de culture et de récolte; d'autres comme eux assuraient toute l'activité courante, les services, le travail des usines...

Le jour de leur arrivée dans ce village, ils se crurent déposés dans un autre univers.

* * *

Narainh était à vingt-six milles du kolbanz le plus proche. On ne pouvait s'y rendre que par la route de montagne, par *jeep*, et encore ces trajets n'avaient-ils rien de sûr, car dans ce désert, des bancs de sable et des talus soudainement apparus pouvaient avoir envahi la piste d'un jour à l'autre. Si on tombait en panne sur ces pistes caillouteuses, on risquait d'y passer la nuit au froid. Les premières semaines, ils n'eurent aucun indice des aventures qui allaient se produire. Tous les gens du kolbanz travaillaient douze heures par jour. Andrée et ses amis s'occupaient de la récolte des arcacias qu'ils entassaient en bannes. Les champs de jaurée et de follinaule n'étaient pas encore à maturité. Quant aux autochtones, ils travaillaient aux tanneries bien outillées du kolbanz.

Les amis demeuraient à la lisière ouest du village, où ils occupaient des sortes de cases construites d'une brique semblable à la brique de Crète mais plus friable. Pour les meubles, on se servait surtout d'osier natté et de corteline. Les embrasures, sans porte, donnaient sur le trécarré même. Étrangement, celui-ci était marqué par une immense clôture de fonte rappelant les grilles des jardins de châteaux mais où les pieux parfaitement alignés étaient distancés de plus de deux pieds, et retenus en grillage par des barres de traverse solidement vissées. Cette clôture marquait la limite de ce qu'on avait arraché au désert. En deçà, on avait réussi un jardin presque luxuriant, grâce à cette irrigation artificielle qui assurait la survie du kolbanz. Au-delà, c'était un spectacle lunaire, qu'Andrée passait beaucoup de temps à contempler, appuyée à la clôture. La visibilité dépassait quinze milles, d'abord à cause de ce climat aride, et surtout parce que le kolbanz était situé dans une sorte de dépression — ce qui expliquait peut-être la présence de l'oasis — et que le terrain du côté ouest allait en remontant à perte de vue, sans trop d'accidents, à part cette rocaille infinie. Ce terrain concave était à certaines heures embrouillé par les bouffées de chaleur qui montaient du sol, et cette convection massive donnait alors au désert l'apparence d'un mirage mouvant. À d'autres moments, le tableau atteignait une netteté inconnue, et on pouvait suivre à l'infini ces longs pans rocheux qui s'arquaient vers l'horizon dans leur poussière inerte, crispés par une sécheresse immémoriale.

Andrée frissonnait chaque fois qu'elle retrouvait ce tableau; il lui semblait mettre pied sur la limite du monde. Et en transposant la vision de ce désert, elle se figurait les mariniers s'embarquant sur l'océan, qui croyaient la terre plate.

Durant les quelques heures de détente qui leur restaient, il n'y avait rien à faire que se reposer. Marc s'occupait beaucoup d'Andrée et elle en était contente.

Ils en arrivaient à ne plus croire à l'existence de cette guerre qui leur semblait éloignée parce qu'ils n'en voyaient rien et en savaient même très peu, le courrier et les journaux étant en retard souvent de plusieurs semaines.

Un matin, ils furent réveillés avant l'aube par des feux roulants d'artillerie. On voyait, du côté de la piste qui montait en direction d'Alzhah, comme des feux d'artifice et des éclairs orangés qui se répercutaient en rafales et comme en bouillonnements. Ce tonnerre se rapprochait progressivement. Ils avaient été endoctrinés pour les cas d'alerte et chacun avait un rôle préétabli. Le kolbanz fut presque abandonné. On partit en convoi vers le flanc de la montagne du côté de Fouhlé. Au lever du soleil, le sinistre spectacle apparut. Plusieurs colonnes de chars étaient aux prises. Les Colman-18 bizarrement peints gris-bleu montraient une maniabilité étonnante. Ils semblaient en passe de réussir à former un front défendable du côté ouest, grâce aux tranchées naturelles qui longeaient les plaines de sel. On continua sa route vers les kolbanz fortifiés du sud, et le soir même, on avait atteint, les uns Fouhlé, les autres Saribaq.

Andrée et Marc devaient prendre leur poste à la tour d'observation de Saribaq. Ils s'affairaient, ici aux lunettes, là au poste de radio. Durant deux jours, travaillant à la synchronisation des diverses sorties ou des échanges de forces avec ceux de Fouhlé, ils furent témoins des engagements continuels, se déroulant parfois jusque sous leurs yeux. La nuit, la plaine était éclairée sans répit par l'artillerie. Le jour, sous le soleil brûlant, il montait une poussière de sable qui cachait souvent les assaillants les uns aux autres. La chaleur insupportable laissait tout le monde aux limites de l'épuisement.

Lorsque les problèmes de ravitaillement ennemi commencèrent à se faire sentir, on vit tout de suite les incursions perdre leur audace habituelle. Fouhlé tomba. Cependant, dès le lendemain, Fouhlé fut abandonné par les assaillants quand il devint apparent que l'attaque ne donnerait pas les résultats escomptés, et on put réintégrer le kolbanz. Après deux jours, le calme était revenu. L'alerte était passée.

Une semaine après, ils s'étaient remis à leur récolte, comme auparavant. Les pertes civiles avaient été légères. Il ne manquait personne du groupe.

Le mois suivant, Andrée et Marc furent

rappelés au front. Un kolbanz était tombé lors des dernières batailles et ses habitants étaient encore isolés dans des sortes de catacombes creusées à flanc de montagne juste au-dessus du kolbanz occupé. Ces gens n'avaient pas été détectés par les patrouilles. On pouvait s'y rendre assez facilement la nuit, mais le ravitaillement en était difficile. Andrée et Marc y allaient pour en organiser l'évacuation, mais, le lendemain de leur arrivée, la piste fut coupée, et il fallut y rester plusieurs semaines. Ils vivaient dans ces immenses cavernes en chapelet, où on pouvait observer, de divers endroits, les activités du kolbanz, dont l'état d'alerte était manifeste. C'était à ce moment-là un point ennemi avancé. Des convois s'y succédaient à un rythme soutenu.

La subsistance du groupe ne semblait pas trop menacée, du moins pas pour les prochaines semaines. Andrée développait une claustrophobie mal supportable qui lui venait de cette vie étrange dans un univers toujours sombre où on ne pouvait rien faire d'autre que passer des heures assis par terre à attendre. On avait aplani le sol ici et là, et aménagé des remblais près des points d'observation. Chaque nuit, quelques-uns d'entre eux se rendaient à un bois de figuiers qui était situé à moins d'un mille, en contournant la montagne vers le sud.

Puis le kolbanz fut abandonné à son tour et

on put revenir à la lumière du jour. C'est à la joie générale qu'on sortit de cette tombe, et malgré l'affaiblissement de chacun, on célébra fermement les premières *jeeps* qui arrivèrent.

À l'automne la guerre était arrêtée et le groupe revint au pays.

* * *

Les amis continuèrent à se fréquenter assez longtemps. Ils avaient été marqués par cette vie commune et ne se sentaient à l'aise qu'entre eux. Ils se réunissaient souvent, parfois pour une fin de semaine entière; et ils parlaient moins et se comprenaient mieux du fait qu'ils avaient tant en commun, tant d'impressions si vives *et* encore fraîches.

Une intimité unique s'était établie entre eux, une facilité de communication qui les rendait dépendants les uns des autres. Lors d'une de ces soirées, où Andrée avait parlé plus que de coutume, exposant des projets d'étude qu'elle entretenait, et se racontant un peu elle-même pour expliquer l'intérêt qu'elle y portait, elle remarqua les yeux de Céline souvent posés sur elle quand elle parlait, en particulier si après quelques phrases elle faisait une pause pour laisser se fixer ce qu'elle venait de dire. Elle était frappée de l'intensité, de la facilité de leurs échanges, et il lui vint l'espoir qu'elle pourrait établir avec Céline ce rapport aussi profond que possible qu'elle n'avait réussi à établir avec personne et dont elle était depuis longtemps impérieusement consciente.

Car Céline et Jean-Charles, presque inséparables, restaient très réservés l'un avec l'autre, et il était clair que, malgré qu'ils fussent très proches, il n'y avait rien de plus entre eux. Ce soir-là, les regards attardés de Céline sur elle l'amenaient à se rapprocher des deux amis, et par ce biais elle se sentait aussi un intérêt plus fort pour Jean-Charles. C'est lui qu'elle prit à part et à qui elle révéla le plus d'elle-même.

— Depuis notre retour, je suis revenue aux mêmes questions que je me posais avant. Je vois le temps passer, je le sens filer, je sens qu'il m'échappe, et que je n'en fais pas ce que je devrais en faire.

— Mais tout le monde a cette impression-là de temps en temps. Enfin, tous les gens qui ont l'ambition de réussir quelque chose, peu importe ce que c'est.

— Mais justement, je n'ai aucune ambition. Je n'ai rien moins que de l'ambition !

— Sous une forme ou une autre ! Je ne veux pas dire une ambition de réussite bourgeoise ou sociale ou même intellectuelle, je ne parle pas d'une oeuvre à faire. Non, tout simplement, je parle de quelque chose qui te manque et à quoi tu pourrais travailler, qui demande peut-être beaucoup d'effort, et qui est important pour toi.

— Qu'est-ce que tu veux dire?

— Non, non, il n'y a que toi qui puisses le savoir!

Et Andrée savait bien et de mieux en mieux ce qui lui manquait et qui tournait à l'obsession et à la sottise, et elle savait instinctivement qu'il était presque logiquement impossible qu'elle y arrivât et en tout cas pas sans un travail presque au-delà de ses forces, mais elle n'expliqua rien de plus à Jean-Charles.

Et ce qu'elle avait dit à Jean-Charles, elle aurait voulu s'en ouvrir à Céline. Qu'est-ce que Céline en aurait pensé? Qu'aurait-elle pensé d'elle?

5

Quelque temps après, Andrée et Marc en vinrent à se voir plus souvent. Elle le connaissait depuis longtemps, et par lui elle voulait se rattacher sans doute à quelques événements anciens dont elle voulait rester proche. Même si elle n'avait que vingt ans, le passé, pour elle, grandissait en importance, et tendait de plus en plus à prendre le pas sur le présent. Elle chérissait les images anciennes et les états d'âme dont il lui venait des relents dès que quelque détail présent les rappelait.

Un jour, Marc était venu l'aider à décaper et repeindre une table et quelques chaises. Ils chantaient en même temps des airs qu'ils avaient appris dans leur voyage, de familles de nomades qu'ils avaient connues. Soudain ils s'arrêtèrent, comme sur un signal qui n'eût été sensible qu'à eux.

— Tu avais l'air un peu distraite... Il y a un ton décisif à ta façon de chanter aujourd'hui. Ça ne te ressemble pas. C'est comme si tu avais trouvé la solution à un problème.

— L'oracle parle! Un instant... «*Je taille mon crayon pour noter quelque date ou bien quelque pensée!*»...

— Elle est impayable! Elle se refuse au moindre conseil! L'analyste pourrait t'aider... Mais on se dérobe! On se renferme! On se défend!

— Avant que je me défende de toi, il faudrait que tu m'attaques, et là, tu es... impuissant!

Il bondit, mimant l'ogre déchaîné, puis, légèrement, lui entoura les épaules de ses bras, et continua:

— Si tu me provoques, je te réduis au silence... une fois pour toutes!

Elle lui sourit, amusée. Puis leur sourire se figea, imperceptiblement. Il l'embrassa doucement, sans qu'elle le retînt. Elle laissa tomber sa tête sur son épaule, comme par acquiescement, avec une sorte de souffle, mi de surprise, mi d'acceptation, comme pour marquer qu'elle reconnaissait ce que leur geste avait d'inévitable.

Il lui retira ses vêtements doucement. Il agissait calmement, sans passion apparente, comme pour un rite éternellement établi, et prévu pour cette heure. Elle s'abandonnait sans réticence, elle qui lui avait souvent semblé adopter avec lui cette attitude distante et défensive. Pour lui, cette journée n'avait rien eu de singulier, et leur étreinte semblait née de la seule accumulation du temps.

Leur apprivoisement avait fait son oeuvre; ce rapprochement graduel était consommé.

Si Marc restait étonné du geste d'Andrée, il ne l'interrogea pas. Ils se séparèrent sans s'expliquer, et de la sobriété de leurs rapports Marc avait conclu que, vu d'une certaine façon, il n'y avait rien de changé entre eux, que c'était un jour comme un autre. Andrée était d'un calme étrange, et l'air qu'elle affichait était comme neutre, en même temps qu'actif et décidé.

Le lendemain, Andrée devait rencontrer Marc dans un restaurant de la ville, près de son travail. Il n'était pas sûr d'être à l'heure, ni de pouvoir venir. De fait, il ne vint pas.

Pendant qu'elle l'attendait, elle aperçut soudain à une table voisine cette jeune fille qu'elle avait revue plusieurs fois en rêve. À cette image, elle tressaillit comme sous un choc bien net, et réalisa qu'elle sentait distinctement chaque battement de son coeur. Elle reconnaissait plus l'image de son rêve que la personne même, qu'elle n'avait vue que deux fois. Elle avait eu d'abord cette réaction instinctive et machinale de lui sourire et de la saluer, qu'elle avait réprimée en même temps, se rappelant qu'elle ne la connaissait pas.

Andrée l'observait à la dérobée. Elle la voyait pour la première fois dans un lieu éclairé, et elle absorbait cette nouvelle image, à la lumière du jour, dans ce nouveau cadre. Elle lui sembla plus pâle, et les cheveux, retenus en arrière par deux petites boules jaunes en guise d'agrafe, plus clairs. Elle portait une robe ivoire très pâle à larges rayures mauves bordées d'un mince liséré jaune. Si elle ne reconnaissait pas encore ses traits et ses expressions dans toute leur complexité, par contre, son maintien, ses gestes, sa démarche correspondaient avec une précision si complète à l'image qu'elle avait retenue d'elle, si nette, indélébile, que chaque mouvement enfonçait sa trace dans sa mémoire. À son air souvent soucieux succédait soudainement ce sourire éblouissant, et Andrée se sentait marquée par chacun de ces sourires et de ces expressions.

Andrée sortit en même temps que la jeune fille et ses amies. Elle la frôla au passage, eut l'instinct de lui parler, mais ne trouva rien à lui dire.

Elle s'interrogea encore, distraite, surexcitée. «Est-elle si belle?» «Incroyablement belle?» «Divinement belle?» Non, cela n'avait pas de sens; sa beauté n'avait rien de classique; Andrée cherchait à s'exprimer et il lui semblait froidement qu'elle ne pourrait pas se faire comprendre, et que les gens ne trouveraient pas chez cette fille une telle beauté. Mais elle ne pouvait écarter cette conviction profonde qu'elle avait: qu'elle ne désirait connaître personne plus qu'elle, qu'il lui fallait absolument la connaître, que c'était elle entre toutes qu'elle voulait approcher...

...ou posséder? ajouta-t-elle en elle-même...

...ne correspondait-elle pas à quelque forme, quelque patron présent au fond d'elle-même qu'elle cherchait inexorablement à combler?

Cet étrange désir la laissait dans le même état d'agitation et de pessimisme que ces rêves irrépressibles qui la poursuivaient.

Le lendemain, son calme était revenu. Ses vacances étaient proches, et elle projetait de rejoindre Jean-Charles à la ferme de ses parents, avec Céline, et peut-être Marc.

Ils partirent deux semaines plus tard. Marc ne put rester que quelques jours. Comme Céline et Jean-Charles passaient souvent le temps ensemble, surtout durant la journée, Andrée restait seule. Elle quittait la maison à midi et se promenait dans les champs, qui étaient immenses et vallonnés. À ce moment-là, en fin d'août, le terrain était, à distance, d'un jaune doré, couleur d'avoine et de foin fraîchement coupés. Les collines en pente douce, rasées de près, montraient toutes leurs bosses, et, aux endroits plus dénudés, apparaissait la terre pâle et blonde. Il y eut plusieurs jours de chaleur écrasante, sous un ciel du bleu le plus pur, où le soleil brûlant se mouvait imperceptiblement au-dessus de ce monde impassible, silencieux, où pas un fétu ne s'agitait, où pas une feuille ne bougeait. Si Andrée s'étendait au pied d'un talus, elle pouvait croire que l'univers à jamais figé était inhabité, inanimé, sauf pour quelque cri d'oiseau ou d'insecte. Pendant plusieurs heures, on pouvait croire que rien n'avait changé, comme si le temps n'avançait pas. Par cette chaleur, on se croyait enchâssé dans cette atmosphère inerte et comme solide.

En même temps, les pierres et les arbres lui semblaient placés là de façon incongrue, prisonniers de ce monde trop lourd, cherchant à s'en extraire, et elle n'eût pas été surprise de voir les objets se mettre à flotter dans l'air trop dense, et s'échapper vers la surface.

Quand elle revenait à la maison, inconsciente de l'heure, et que la ferme, vue d'abord à distance comme un petit objet anonyme, grandissait, devenait lentement reconnaissable, il lui semblait approcher de la porte d'un univers différent, passer d'un monde inerte au monde vivant; en retrouvant ses amis, elle avait l'impression de renaître ou de transmigrer, et qu'en passant le seuil, la dimension du temps allait se

transformer, se rétrécir, et qu'elle devait se préparer à cette accélération subite.

6

Les vacances avaient fait diversion. Mais, après quelques semaines, le retour à la vie normale avait remis Andrée face à face avec elle-même, et son dilemme se structurait davantage, au point qu'elle s'interrogeait et cherchait à le résoudre. Elle devint rêveuse, tourmentée d'une imagination sans logique et sans fruit. Elle se représentait scène après scène où elle abordait la jeune fille, ou bien d'autres où c'était celle-ci qui l'accostait. Elle inventait des bribes de conversation sans suite, qui auraient eu lieu entre elles, où elle appuyait chaque mot de quelque mimique exagérée, de sourires expressifs. Andrée simulait toutes les gammes de l'émotion, qu'elle introduisait dans leur jeu imaginaire. Puis elle se secouait, hochait la tête, surprise elle-même de sa sottise.

Marc tolérait bien la mélancolie d'Andrée, cédant, en fait, à une sorte de jalousie, imaginant que dans cet état, elle se rapprochait de lui; il échappait alors à la crainte qu'elle vécût quelque joie à laquelle il fût étranger, sachant bien qu'elle ne serait jamais heureuse par lui et pour lui. Leurs rencontres perdaient leur caractère anodin et tranquille et se teignaient d'une certaine tristesse.

Andrée ne voyait que ses amis les plus proches, ne tolérait personne de nouveau, n'entreprenait rien. Elle vivait en accord avec cette certitude tacite, érigée en principe, qu'elle ne trouverait rien et ne rencontrerait personne, quoi qu'elle fît, qui pût rompre l'équilibre fatal où elle était prise. Elle ne voyait pas comment s'en tirer. Elle n'allait sûrement pas faire quelque sottise, ni poser aucun geste ridicule, ni tenir quelque discours théâtral à qui que ce fût. Il n'y avait d'ailleurs rien de dramatique, il n'y avait pas de noeud gordien qu'il eût fallu à tout prix trancher: tout était presque normal, et le temps ferait son oeuvre.

Andrée ne croyait pas à ce moment que ce fût cette jeune fille elle-même qui eût pour elle une telle importance. Elle ne la connaissait pas, cela n'aurait eu aucun sens. Plutôt, ce qui l'avait tant frappée, c'était cette réalisation, cette conception qui lui était venue, peut-être la première fois qu'elle l'avait vue, qu'il existait un type de personne pour qui elle donnerait tout, pour qui elle s'engagerait sans réserve et sans retour, et que cette passion n'aurait aucune commune mesure avec l'idée qu'elle s'était faite jusque-là des relations amoureuses. C'était une passion d'un genre nouveau dont, faute d'objet, elle n'avait jamais soupçonné l'existence, et qui accidentellement s'était révélée à elle, puis, par cette introspection, ces rêves, ces développements qu'elle n'avait pas rejetés, s'était matérialisée, s'était ancrée en elle, et la transformait de jour en jour. Qui serait cet objet, cette personne, quand s'incarnerait-elle, elle ne le savait pas. Sauf que cette jeune fille aurait pu l'être, peut-être si les circonstances eussent été autres, peut-être si elles avaient été facilement mises en contact par quelque prétexte valable, naturel; mais, là, de la façon dont les choses se présentaient, elle ne savait que faire... elle n'irait sûrement pas faire de déclarations à une fille...

À d'autres moments, elle croyait moins à cette passion transcendante; si cette jeune fille, individuellement, avait vraiment pour elle une telle importance, elle ne reculerait devant rien, il n'y aurait pas de risque qu'elle refuserait... N'était-ce pas la preuve qu'elle se faisait illusion, et se jouait quelque jeu à elle-même? Non, elle n'essaierait pas de la rencontrer, les chances étaient bien faibles qu'il pût y avoir un jour quelque chose entre elles...

Un matin, Marc vint la voir très tôt. Elle n'était pas encore levée. Elle remarqua sa mine un peu sombre.

— Tu arrives tout juste pour me préparer le petit déjeuner au lit! Allons, allons, fais comme chez toi, tu vas trouver ce qu'il te faut, tout est en ordre.

Marc sourit, regarda l'heure, comme s'il était pris en faute, puis s'exécuta.

Cette visite imprévue prenait pour Andrée un caractère plus intime que leurs rencontres ordinaires, qui restaient un peu formelles par le protocole souvent très réservé auquel ils se conformaient. Elle se rappela cette autre scène, qui de six mois ne s'était jamais renouvelée, où ils s'étaient abandonnés l'un à l'autre. Lorsque Marc entra, le déjeuner préparé, elle lui indiqua la table de chevet pour poser le cabaret, et lui dit:

— Viens, on mangera après...

Il lui fallut trois secondes pour comprendre, puis il se déshabilla et vint la rejoindre.

Quant au déjeuner, il fallut le recommencer.

Si Marc était épris d'elle, il avait renoncé à le laisser paraître, et toujours, si leur conversation prenait un ton amical, il adoptait cette réserve étudiée qui lui donnait un calme apparent et en même temps une certaine douceur qu'Andrée aimait. Il se cantonnait sinon dans la passivité du moins dans une neutralité qu'il savait être la plus sûre façon d'être accepté d'elle.

Ce matin-là, Andrée devait aller rencontrer Jean-Charles au sujet d'un projet auquel ils travaillaient ensemble. À midi, ils allèrent dîner au même restaurant où Andrée avait vu la jeune fille blonde la dernière fois, et où elle n'était pas retournée. Elle y était cette fois-là aussi, avec quelques amies. Comme ils passaient près d'elle, Jean-Charles s'arrêta et entama la conversation avec elle. Il n'était jamais venu à l'idée d'Andrée qu'ils pussent se connaître; elle resta debout près d'eux quelques instants, puis s'éloigna et choisit une table.

Jean-Charles la rejoignit après quelques minutes. L'échange avec la jeune fille avait eu davantage le caractère de salutations entre connaissances que celui d'une conversation entre amis, et il avait sans doute été naturel pour Jean-Charles de ne pas faire les présentations. Andrée regrettait de s'être éclipsée, poussée par une réaction de timidité due à son intérêt même. Elle avait eu peur aussi que la jeune fille l'eût déjà remarquée; il est facile de s'apercevoir qu'on est observé; peut-être croirait-elle qu'Andrée avait arrangé cette rencontre avec Jean-Charles en sachant qu'il la connaissait; et elle ne voulait pas faire naître de gêne entre elles; si elle allait deviner la nature de l'intérêt qu'elle lui portait...

— À qui est-ce que tu parlais? Je ne la connais pas? demanda-t-elle innocemment à Jean-Charles quand il se fut assis.

— Ah, elle travaille en face, chez Lecours. J'y ai été cent fois pour les contrats de polycopie. Elle est très, très gentille. Elle s'appelle... Laure, je crois. Tu sais que Lecours nous a fait traîner six semaines, et ce n'est même pas encore sûr qu'on les décrochera.

Andrée n'insista pas.

Elle était un peu distraite, et ce nom lui résonnait en tête:

— Laure, Laure...

Cette nuit-là, le même rêve qui l'avait abandonnée depuis quelque temps lui revint. Elle revoyait Laure passer et repasser devant elle, le long de ces corridors sans fin; figée et comme emprisonnée dans les briques jaunes du mur, elle observait la démarche posée, démesurément lente de ce fantôme pâle, presque transparent, mince comme un jeu d'ombres, qui apparaissait toujours d'un angle imprévu, s'éloignait en s'amenuisant, s'annihilait à un coude de corridor, pour réapparaître soudainement, tout proche, quand elle tournait la tête.

Puis soudain elle tomba sur elle face à face et l'autre lui sourit d'un air engageant, éblouissant de chaleur et de douceur, et elles s'approchèrent l'une de l'autre comme pour s'embrasser, se pénétrèrent comme deux fantômes, et elle se réveilla.

Elle n'avait pas bien retenu les détails de ce rêve, mais seulement qu'il y avait eu quelque impression d'une tendresse inexprimable, d'une joie prématurelle, mêlée à quelque chose d'abominable, quelque déception d'une horrible intensité. Ce ne fut qu'en cherchant à matérialiser ce sentiment que les détails lui revinrent peu à peu, et elle se sentit terrassée par la force de ces émotions, jusqu'à ce qu'elle fût bien éveillée.

Même à ce moment, elle n'attachait qu'une importance relative à ces affections quasi neurasthéniques. Si ce trouble occasionnel avait des conséquences dans sa vie affective, ou s'il se manifestait dans sa froideur et son insatisfaction chronique, il n'avait que peu d'effet visible dans sa vie courante. Elle restait gaie avec ses camarades, active et pleine d'invention. Quant à son affectivité erratique et douloureuse, elle la mettait sur le compte de quelque faille de principe, fondamentale, qu'elle se croyait impuissante à changer et qu'elle était prête à accepter.

7

En juillet, Andrée prit l'habitude de se rendre à la plage à bicyclette après son travail. Elle y rejoignait ses amis, et y passait une heure avant le souper; le soleil avait bien décliné à cette heure-là, mais l'air était tiède et clair, il y avait peu de monde et on s'amusait ferme.

Elle y revit Sophie, qu'elle avait un jour surprise avec son amie, il y avait de cela deux ans. Sophie faisait maintenant partie de leur groupe, et Andrée s'entretenait souvent avec elle. Chaque fois, cette scène qu'elle avait épiée lui revenait à l'esprit, et elle se disait en réprimant un sourire:

— Si elle savait ce que je sais d'elle...

Elle se souvenait de la forte impression que Sophie lui avait faite. Mais maintenant elle comprenait mieux à quoi tenait cette impression, ce dont elle n'avait pas alors été bien consciente: Sophie avait en tout cette même allure que la jeune fille qui l'obsédait. Andrée en identifiait maintenant tous les traits communs, et si ces mêmes traits l'avaient alors frappée, elle n'avait pas compris ce parfait rapprochement avec l'autre jeune fille, du moins l'idée ne lui était pas venue alors que toute la grâce qu'elle pouvait lui trouver n'était due qu'à cette ressemblance, à cette démarche particulière, à ces hanches étroites, à ces gestes saccadés, à cette physionomie un peu contractée.

En fait, ces traits qu'elle décelait chez Sophie ne lui paraissaient pas atteindre à l'image plus parfaite qu'elle en attendait, et elle comprenait que Sophie ne pouvait être qu'une doublure ou une réflexion imprécise de cette image.

Quant à Laure, Andrée savait qu'elle pouvait la voir tous les jours à midi au même endroit, et cela représentait déjà pour elle une sorte de relation, une sorte d'intrusion dans son voisinage. Andrée allait dîner là de temps en temps, quand elle en avait l'occasion, et l'observait discrètement.

Ce même été, un matin, Jean-Charles se plaignit à Andrée de ce qu'on eût négligé, chez Lecours, de lui retourner certains documents qu'il ne pouvait attendre plus longtemps; il fallait régler cela à l'instant; et il était débordé, disait-il, il ne pouvait déjà plus passer les prendre lui-même; il demanda à Andrée de s'en charger, ce qu'elle s'empressa de faire. En montant à l'étage, il lui apparut qu'elle n'était pas forcée de s'adresser là à la première personne sur qui elle tomberait; en fait, moitié par hasard, moitié exprès, elle se trouva finalement devant le bureau de Laure, et s'approcha d'elle.

— Je suis Andrée...

— Ah, mais c'est vous, Andrée...!

— ...je travaille avec monsieur Richer; il semble que les dernières formules de réquisition aient été incomplètes, et monsieur Richer est pressé de compléter la commande; je suppose qu'il faudrait en remplir de nouvelles...

Elles s'expliquèrent sur l'affaire, et Andrée redescendit. Elle était prise d'une excitation extrême, presque terrorisée. Elle s'interrogeait en traversant la rue:

— Je suis folle, je suis folle, qu'est-ce que j'ai? qu'est-ce que c'est que cette histoire?

Quand elle eut repris son calme, tous les mots de la conversation lui revinrent, un à un.

— Qu'est-ce que ça veut dire: «Ah, mais c'est vous, Andrée...!»? Au moins, j'aurais pu entamer la conversation, là-dessus! «Est-ce que vous me connaissez? Ai-je déjà eu affaire à vous?» Quelque chose! J'aurais pu lui tenir une conversation sensée. Rien n'était si facile!... Non, évidemment! Rien n'était si difficile!...

Que je suis sotte. C'est peut-être la seule fois où je lui parlerai jamais!... «Ah, mais c'est vous, Andrée...!» N'était-ce pas une réponse étonnante?... Et quelle conversation ridicule je lui ai tenue! Je ne pouvais rien imaginer de plus sot, de plus banal, de plus stupide. Et de n'avoir même pas relevé cette phrase! C'est incroyable... Je ne lui parlerai peut-être jamais plus...

Andrée ne travailla guère cet après-midi-là. Toujours, cette même scène lui revenait à l'esprit, et elle en voyait mieux maintenant les détails: en entrant, quand elle avait été sur le pas de la porte, elle avait attiré l'attention de Laure par quelque geste, et celle-ci, l'apercevant, avait à l'instant posé sur son bureau ce qu'elle tenait à la main, et s'était avancée avec empressement jusqu'à quelques pieds d'elle, affichant un sourire engageant qui l'avait frappée comme d'une extraordinaire beauté. Et à mesure que cette scène s'enregistrait maintenant, définitivement, dans sa mémoire, elle la revoyait seconde par seconde. Elle était touchée par le calme, la simplicité, l'aisance de cet échange, et cette atmosphère de détente était empreinte d'un charme inimaginable, qui contrastait si complètement avec la tension, l'inquiétude, l'insécurité qu'elle ressentait lorsqu'elle était en sa présence.

Le soir, Andrée se promena longtemps au centre-ville, sur le boulevard Rogier et la petite rue du Fort. Quand elle fut fatiguée, elle passa à la Lucarne, où elle croyait trouver Jean-Charles. Elle tomba par hasard sur Céline, et pensa que celle-ci attendait peut-être Jean-Charles elle aussi. Céline était attablée avec un monsieur d'un certain âge; elle interrompit sa conversation en apercevant Andrée, et s'avança vers elle d'un pas mesuré:

— La musique est détestable ce soir. Le nouveau pianiste a un style plutôt *flamboyant*, et je pense qu'il désoriente les autres.

— Jean-Charles n'est pas venu? demanda Andrée.

— Non. En tout cas, ce n'est pas moi qu'il cherche ces temps-ci!

— Vous auriez pu vous trouver sans vous chercher!

Andrée s'assit à une table libre, et Céline se laissa tomber sur la chaise en face d'elle.

— Il n'y a pas âme qui vive ce soir...

— Et celui à qui tu parlais?

— Oui, justement. Une chance que tu es venue.

— Ce n'est pas moi qui vais te distraire!

— Non?

Céline était appuyée sur le coude gauche, penchée en avant, l'épaule distordue, comme si tout son corps était suspendu à cette articulation osseuse, retenu par la mince clavicule. Sous cet éclairage, on eût dit une sculpture anatomique, avec ses coups de ciseau concaves, l'or-

bite de l'oeil, de la joue, des clavicules, le tétraè-
dre du coude. On croyait voir le squelette
éclairé de bleu, habillé d'une peau trop étroite
passée à la hâte. Mais sous les feux rouges, tout
était changé en une géométrie fuyante, dont les
lignes se décalaient, où s'embrouillaient les
points d'inflexion et les indéfinissables transi-
tions du concave au convexe, à la naissance des
seins, à l'ourlet et aux commissures des lèvres,
et où les pommettes s'avançaient hors d'équilibre au-dessus des joues resserrées. Sous l'oeil
pointu du jaune, l'arc du poignet, les arcades,
la courbe des gestes se traçaient selon une colli-
mation précise. Pour Andrée, cette géométrie
nouvelle avait ses constantes, ses théorèmes im-
muables, et elle en induisait les plus étranges
axiomes.

8

De mois en mois, Andrée devenait plus stable. Elle était rassurée, comme si elle s'était comprise et acceptée, à la suite de quelque choc, par une sorte de contre-conversion. Elle se savait en danger de céder à quelque passion, mais ce danger était sa vie, et elle ne refuserait pas de vivre. Elle acceptait même la tension, le climat de crise et de dépression, elle transigeait de front avec les sentiments qui l'assaillaient.

À cette époque, un concert qu'elle avait organisé avec Jean-Charles avait eu beaucoup de succès. Il fallut présenter plusieurs reprises. C'était pour eux une grande satisfaction. Un jour qu'ils travaillaient tous deux à redessiner l'affiche du programme, et, après plusieurs heures, commençaient à s'épuiser, Jean-Charles laissa soudain tout tomber et lui déclara:

— Sais-tu que je ne suis pas né pour le travail manuel! Je viens tout juste de m'en apercevoir... Mais cette découverte va me servir pour l'avenir, je te prie de me croire.

— Oui, oui... le peuple a chaud! Si on se faisait un bon café?

— Sais-tu?... Oui, oui, pour le café, entre parenthèses... Sais-tu, je pensais à cela tantôt en travaillant, si tu me le permettais, je te dirais ce que je pense de toi?

— Ah non! Ça, je ne te le permets pas! Jamais!

— Voilà, justement, c'est la première chose, ça, que je pense de toi: tu ne donnes jamais prise, tu te retranches derrière ton attitude ironique, et c'est une simple façade, parce que, souvent, on s'aperçoit que tu es occupée à peser chaque mot qui se dit, à observer... comme si tout était très important, et que tu reliais tout à toi... Tu réagis trop à chaque détail...

— Écoute, fais-toi une idée: ou je montre trop mes réactions, ou je les cache trop!

— Enfin... tu réagis trop, intérieurement, tu es trop occupée à réagir à chaque chose, à analyser tes réactions et à les camoufler, ton attitude n'est jamais naturelle, on sent que tu travailles à ne laisser paraître que ce qui t'arrange.

— C'est ça? Je travaille furieusement à ne montrer que mes meilleurs avantages?

— Non! Pas à mettre en évidence tes qualités, je ne te traite pas de coquette! Mais plutôt comme à cacher tes tares!

— Mes tares, hein? Enfin, tu me soulages; pour un instant, j'ai eu peur que tu sois sérieux.

— Pas tant à les cacher qu'à empêcher qu'on en soit sûr. Parce que, si on t'en laisse la chance et si tu peux y mettre quelque détour, tu aimes bien un peu parler de toi, mais à condition de semer le doute sur la signification de ce que tu dis, de bien équilibrer chaque interprétation possible de ce que tu laisses paraître...

— Ce n'est pas un peu bizarre, mon cher professeur, ces tendances exhibitionnistes qui se mêlent, chez un même sujet, à cette jalousie de son intimité?

— Tu cherches à attirer l'attention sur toi, mais sans te dévoiler; à un moment donné, tu prends peur et tu te mets à tirer tes ficelles.

— À tendre ma toile!

Le café était prêt. Ils avaient pris deux tasses en métal émaillé qu'ils ne savaient comment tenir sans se brûler. Andrée reprit:

— Bon, alors c'est la première chose que tu penses de moi! Je suppose que ça empire, ensuite!

— Je sais très bien, je suis au courant... tu ne peux pas me contredire... pourquoi ne revois-tu jamais tes anciens amis, jamais! quand, à un moment donné, tu as coupé les relations?... Tout est fini, c'est une coupure définitive...

— Une rupture!

— ...comme s'ils savaient quelque chose sur toi, qu'ils en savaient trop!

— C'est complètement faux, je peux te donner cent exemples... C'est seulement parce que je change d'univers de temps en temps. Et puis, c'est encore le premier item, ça!

—*Ein... zwei!* Le deuxième, c'est que tu as peur de moi en particulier.

— Votre scénario est de plus en plus loufoque, mon cher.

— Tu cases les gens. Moi, tu m'as casé, tu as décidé que je ne pouvais rien t'apporter, tu as décidé ça d'avance et tu n'en sais rien. Je suis certain que je te comprends, que je te comprendrais très bien.

— Oui?

— Tu bats en retraite chaque fois que j'essaie de te parler de façon plus personnelle. Je te défie de m'écouter. Je te défie d'y mettre du tien, d'arrêter de te camoufler, parce que je sais très bien, je suis sûr de savoir, comment ça finirait, et tu le sais, toi aussi, et ça te fait peur. Je te mets au défi.

— Écoute, tu fais des thèses, tu t'imagines toutes sortes de choses. Je ne cache rien, c'est très simple ce que je pense, la plupart du temps. Ce n'est rien de plus que ce que je dis tout haut; ce que je pense est exactement ce que je dis.

Et souvent, plus je le dis de façon contournée, plus c'est proche de la vérité.

— La preuve que tu te caches, c'est qu'on n'arrive pas à savoir ce que tu es, à te connaître... ou à te prévoir, mettons.

— «*Savoir pour prévoir*», oui!... Mais, c'est qu'il n'y a rien à connaître, il n'y a rien de plus à dire, il n'y a rien à expliquer, c'est tout. Les mystères, c'est dans ton imagination.

Ils restèrent sur leurs positions. L'atmosphère s'était assombrie, et ils étaient un peu gênés. Jean-Charles paraissait impatienté. Ils terminèrent leur travail sans trop trouver quoi dire. Puis ils en revinrent à parler de choses et d'autres. Quand l'affiche fut prête, ils appelèrent Sophie et Marc, qui vinrent les rejoindre, et ils se rendirent ensemble chez Lecours. Andrée prit l'affiche, les programmes, les listes des vendeurs, et ce fut au bureau de Laure qu'elle entraîna Jean-Charles sans en avoir l'air. En les voyant, Laure s'exclama avec un large sourire:

— Tiens, bonjour. Ça n'a pas été long, on n'a pas eu le temps d'attendre après. Avec vous autres, ça ne traîne pas.

— C'est parce que c'est important pour nous. Quand tout le monde s'y met! répondit Jean-Charles.

— J'avais dit à Marc que les comptes du dernier spectacle n'avaient pas encore été fermés. Il y a un petit surplus qui vous revient.

— Oui, oui, il est venu hier s'occuper de cela.

— Ah bon. De toute façon, ce n'est pas moi qui m'en occupe. Je suis au courant parce que c'est moi que vous êtes venus voir l'autre jour.

— Oui.

— C'est toujours agréable de travailler avec vous autres.

— Oui, ça va très rondement... Justement, pour la liste des agents, on pourrait s'attaquer à la liste complète pour la prochaine fois.

— Ah oui, je vous la préparerai, vous n'aurez qu'à venir la chercher. N'oubliez pas de voir monsieur Authier.

— Oui, merci. Au revoir.

— Au revoir.

Marc entra comme ils allaient sortir du bureau et posa une large enveloppe sur le pupitre de Laure, esquissant un signe entendu, puis sortit avec eux. Andrée retint quelque peu Marc à l'écart et lui demanda, indiquant d'un geste de qui elle parlait:

— Qu'est-ce que tu penses d'elle?

Comme s'il ne comprenait pas la question, il répéta:

— Qu'est-ce que tu veux que je pense d'elle?

Puis:

— Elle a l'air bien. Pourquoi?... Demande

à Jean-Charles, je pense qu'il s'en est déjà occupé.

Puis, comme s'il se reprenait:

— C'est ça que tu veux savoir?

— Mais non... Je lui trouve quelque chose
de spécial.

— Je ne lui trouve rien d'exceptionnel. Elle
a l'air d'une fille comme les autres, non? Si elle
intéresse Jean-Charles... Enfin, ce n'est pas un
critère! Tu sais, il a beaucoup d'imagination;
même si lui la trouve sublime, il y a des chances
que ce soit plutôt dans sa tête, il est fort en
fiction.

Ils redescendirent tous ensemble, et se séparèrent. Andrée resta seule avec Sophie. Cette
journée lui semblait importante, pour quelque
raison obscure, et comme chargée d'un vague
présage. Andrée se sentait sujette à une sourde
tension, survoltée. Sophie lui suggéra de laisser
chez elle leurs affaires. Elle avait une pièce qu'elle réservait comme entrepôt pour ce qui avait
trait à leurs entreprises passées. Leur travail
pour le dernier concert était maintenant fini.
Dans quelques jours, on s'attaquerait à autre
chose, mais pour le moment, on pourrait s'arrêter, savourer la joie du devoir accompli.

Après avoir tout rangé, Sophie ramena
Andrée dans le grand salon qui occupait tout
l'arrière de la maison; le mur, presque entièrement en verre, donnait sur un immense jardin

d'arbres, bien taillé, au gazon rasé de frais.

Sophie choisit un disque, et comme Andrée avançait la tête, lui dit:

— Je vais choisir, mais c'est ce que tu entendras jamais de plus beau.

— Allons donc! la *Valse triste*?

— Non. Brahms. *Sextuor à cordes en si bémol majeur*, opus dix-huit... C'est ma *sonate de Vinteuil*. Enfin, ce n'est pas pour une phrase qui me rappelle quelque chose, comme pour Swann: j'ai arrêté mon choix avant d'être sûre de ce que cela me rappellerait.

— Et maintenant, qu'est-ce que ça te rappelle?

— Si ça me rappelait quelque chose, ce serait plutôt l'avenir que le passé.

Quand l'oeuvre fut entendue, elles n'échangèrent pas une parole, conscientes qu'il n'y avait rien à ajouter. Leur silence dura quelque temps.

Le soleil s'était avancé au fond de la cour. Le grand salon s'était assombri. Les rayons frappaient maintenant l'autre flanc de la maison, et, de son fauteuil, Andrée voyait l'intérieur sous un autre éclairage; par la porte entrouverte d'une chambre, dont s'illuminaient graduellement les murs à tentures rouges, elle observait le jeu oblique de ce cadran solaire. En baissant encore un peu, les rayons vinrent fouiller jusqu'au fond cette pièce dont les détails apparaissaient les uns après les autres, et dont la bizarrerie devenait de plus en plus manifeste.

Sophie, remarquant la curiosité d'Andrée, lui indiqua:

— C'est la *chambre rouge*. Viens, je vais te la montrer.

Alors que le reste de la maison était meublé très sobrement, et même d'un ton un peu froid, cette chambre était chargée d'un incroyable décor. Au fond, le mur entier était couvert de tentures en velours rouge surchargées d'étoffes crochetées, de cordons et de glands. D'immenses tapisseries orientales recouvraient les autres murs, mais disparaissaient derrière des amas d'objets hétéroclites, de bibelots, de lampes tapissées, de coussins, de coffres, qui encombraient les meubles laqués entassés les uns contre les autres. Sur le tapis de fond, étaient disposés divers tapis persans, soit à franges, soit ovales, d'un dessin minutieux. Les fauteuils étaient cachés sous des jetées d'étoffes soyeuses richement brodées et d'immenses coussins cordonnés.

Où qu'on posât les yeux, on apercevait quelques curiosités disposées comme en étalage. Le lit, très simple de facture, était cependant habillé des plus riches couvertures, d'oreillers de lin et de coussins de brocart.

Figée sur le pas de la porte, Andrée n'osait avancer, interdite par l'atmosphère de musée de cette chambre, meublée comme s'il fallait la vénérer, comme un monument lié à quelque antique cérémonial. Sophie l'entraîna, alluma les lampes et lui montra de près quelques objets curieux, se laissant tomber dans l'un ou l'autre des fauteuils, puis se levant, touchant chaque meuble, caressant les tissus, s'installant sur le lit comme dans une niche. Sous l'éclairage des lampes, par la familiarité nouvelle avec chaque chose qu'elle découvrait et apprivoisait, Andrée se sentait accepter peu à peu cette sorte de paradis exotique, elle s'apercevait des rapports étroits, intimes, qu'entretenait Sophie avec chaque élément de ce décor, elle remarquait avec quelle aise, quelle langueur, quelle satisfaction Sophie s'y intégrait. Andrée se carra sur le lit près d'elle.

Andrée examinait tout et Sophie lui laissait le temps de bien assimiler chaque détail. La chambre prenait une apparence domestique, comme le foyer de la maison, l'autel des mânes, un reposoir préparé pour quelque rite.

Elles se sentaient envahir par le bien-être que la chambre leur inspirait. Elles s'allongeaient, s'enfonçant dans le lit d'un moëlleux incomparable, et se faisaient remarquer l'une à l'autre, en riant et en soupirant de joie, la douceur de ces ébats.

Andrée était sûre que Sophie se plaisait à être avec elle. Connaissant ses goûts, qu'elle avait déjà surpris, et sachant que celle-ci ne serait pas choquée de ce geste, Andrée posa sa tête sur elle, s'étendant en travers, tout en lui souriant d'un air de contentement, et allongeant à moitié ses bras sur elle, l'un jusqu'à son front, l'autre sur ses genoux. Andrée avait étudié son geste pour qu'il gardât quelque apparence de naturel et de décence, et laissât à Sophie l'option de s'y soustraire sans esclandre.

Mais Sophie, tout en lui caressant les cheveux avec une douceur insistante, ramena ses genoux à elle, se courbant et entourant l'autre comme dans un berceau. Et par ce geste, et par la réaction semblable d'Andrée, leurs visages se touchèrent, comme par accident, puis ce contact devint concerté et se transforma en une étreinte méthodique et sans réticence; leurs bouches entrouvertes se cherchèrent; chaque contact établissait leur complicité, effaçant tout doute de part et d'autre; elles s'allongeaient en roulant lentement l'une sur l'autre, sans desserrer leur étreinte, comme pour retenir instinctivement la joie acquise. En se cabrant, elles sentaient blouse et jupe se tordre et céder du terrain, leurs longues jambes nues s'entremêlaient; l'étreinte des genoux, des bras, des lèvres, malgré le calme consenti de leur embrassement, acquérait un tonus passionnel, soutenu comme par l'effet d'une libération irrépressible.

Les vêtements s'envolèrent. Leurs lèvres se

quittaient pour aller engouffrer chaque aspérité, fouiller chaque dépression, et à chaque renversement, les corps, brûlants, en nage, s'entrechoquaient doucement et se resoudaient l'un à l'autre. Cent fois, cabrées, tordues, pâmées, haletantes, elles hurlèrent leur indicible cri, cent fois, mille fois...

Dans la vision hallucinante d'Andrée, un monde étourdissant où elle n'avait pas prise, défilait devant elle. Incontrôlablement, par éclairs, en fractions de secondes, mille images lui apparurent, de loin en loin, mille gros plans, démesurément proches, de cette même image, de cette même jeune fille, autre que celle qu'elle possédait, et cette même image l'assaillit à cent reprises, cent fois et mille fois...

9

Andrée n'eut plus affaire chez Lecours, où travaillait Laure. Elle avait cessé de s'occuper des projets qui auraient pu l'y amener. Quelques fois elle allait prendre un café à la petite cafétéria du sous-sol, au milieu de l'après-midi, mais elle avait peur d'y rencontrer quelqu'un qu'elle connût et qu'on lui demandât ce qu'elle faisait là. Elle espérait y voir Laure et en même temps éprouvait une peur farouche que cela arrivât; elle était hantée par le cauchemar de quelque confrontation inévitable où sa gêne serait manifeste, où elle passerait pour folle, et même pire, où on soupçonnerait la vérité. En fait, rien de cela ne se produisit, mais elle cessa tout de suite cette habitude.

Elle se contenta de voir Laure assez souvent à midi, au même restaurant. Laure ne dînait jamais seule, ne restait jamais seule un instant. Andrée tentait de se convaincre que c'était là l'obstacle principal, que ce n'était qu'une question de temps, que la première fois qu'elle la verrait seule, elle irait la trouver tout simplement, et trouverait bien quelque chose à lui dire; elle pourrait avoir l'air distraite ou bizarre ou passer pour quelqu'un qui parle à tous les gens qu'il voit, au pire, elle passerait pour un poète! Mais même cela n'était possible que sans témoin. Ce que deux personnes peuvent se dire peut être bien contrôlé, bien étudié, adapté à celle qui écoute, ses réactions sont surveillées, et quand elle ne soutient pas le regard de l'autre, celle-ci a quelques secondes de répit, où l'irrépressible tic peut passer, et où on peut se reposer une seconde du masque qu'on se compose. Mais les témoins, eux, restent froids, ils ne sont pas attaqués, toute leur attention est disponible, ramassée, concentrée à déceler les indices de l'intrigue, les faiblesses du comédien, les ridicules du bouffon.

Andrée prit l'habitude de dîner avec Céline, qu'elle entraînait chaque fois au même restaurant, sans rien lui expliquer. Elle trouvait mille raisons de ne pas aller ailleurs. Céline tolérait ses silences sans se plaindre. Parfois, Andrée y allait seule, tenant à la main une revue qu'elle ne lisait pas, et restait attablée le temps qu'il fallait, à prendre un café et à fumer quelques cigarettes.

Andrée avait grand soin que Laure ne la remarquât pas. Elle arrivait un peu plus tard que Laure, s'asseyait à quelques tables de distance, mais s'orientait de trois quarts et ne l'observait qu'à la dérobée. Si l'autre tournait la tête de son côté, déjà son regard s'était fixé ailleurs ou survolait nonchalamment toute la pièce.

Andrée était aux aguets, épiant religieusement chaque geste, chaque expression, chaque sourire, chaque froncement de sourcil. Laure s'exprimait toujours en mimiques consciemment exagérées et en longs gestes brusqués qui manifestaient une certaine gaucherie, et qu'Andrée aimait.

Andrée s'astreignait à éviter d'être remarquée, mais en même temps ne pouvait quitter l'autre des yeux un instant de plus qu'il n'était nécessaire, surtout quand Laure se révélait plus que d'habitude et prenait la scène. Si elle la voyait mal et devait avancer la tête, ou si elle trouvait dangereux de l'observer trop intensément, Andrée songeait à l'image qu'elle pouvait donner et s'entraînait à cacher sa surexcitation et son désespoir. Elle parlait à Céline avec chaleur, se développait une attitude volubile, souriante, épanouie, et puisque Céline s'y laissait prendre, se croyait protégée.

Quand Laure et ses amies se levaient, Andrée attendait cinq minutes pour ne pas les côtoyer, sortait loin derrière elles, mais, en marchant plus vite qu'elles, de son pas ordinaire, arrivait presque à leur hauteur à la porte de chez Lecours. Parfois elle variait un peu et partait plus tard, mais jamais avant elle, car il lui était physiquement impossible de la laisser derrière de sa propre volonté et de se séparer de cette image sans que ce ne soit imposé par quelque contrainte inéluctable.

Elle eût voulu en savoir plus sur elle, mais n'osait en dire mot à Marc ou Jean-Charles, qui la connaissaient. D'ailleurs, de jour en jour, elle espérait que cette ridicule infatuation en vînt à s'évanouir. Elle tentait de temps en temps de s'intéresser à quelqu'un d'autre, pouvait y travailler avec quelque ardeur, et cela eût pu réussir à conserver son équilibre — si équilibre il y avait eu — mais, au point où elle en était, la machine était à la renverse et il n'était plus possible de prendre la chose de biais.

Il lui vint l'idée d'amener plutôt Jean-Charles à dîner avec elle au même endroit. Puisque Laure et lui ne manqueraient pas d'échanger au moins quelques mots, ce pourrait être l'occasion qu'elle cherchait, et elle pourrait l'exploiter. Mais Jean-Charles ne dînait jamais là, Andrée ne dînait jamais avec lui, elle ne le voyait jamais à cette heure-là, tout cela serait bien difficile sans se compromettre, et cela pour une tentative qui avait bien peu de garantie de réussite. Les circonstances favorables qu'il eût fallu ne se réalisèrent pas; elle tenta avec discrétion de se trouver avec Jean-Charles sous quelque prétexte à l'heure du dîner, mais elle ne put vraiment réussir alors sans risquer de l'alerter sur le motif de ses manoeuvres.

Elle conciliait mal le désir irrésistible qu'elle avait d'approcher la jeune fille et, d'autre part, la peur insurmontable de se révéler. Car en ne considérant que ce désir, il lui semblait qu'aucun obstacle matériel ne pouvait la contraindre, ni même mériter quelque considération que ce fût. D'autre part, elle semblait embourbée dans une impuissance incompréhensible, et tout à fait nouvelle: elle parlait tous les jours à des gens qu'elle ne connaissait pas, et avait souvent instruit ses amies de ses attachements plus frivoles.

Elle en vint finalement à s'ouvrir à Céline de son intérêt, après qu'elle fut certaine que celle-ci prendrait la chose avec bénignité. Ce ne fut d'abord qu'une remarque: qu'elle trouvait cette fille jolie; puis les allusions se multiplièrent, graduellement, à mesure qu'elle vérifiait que Céline n'en était pas choquée, et ne refuserait pas de la comprendre. Mais Andrée ne disait rien de ses sentiments et de son obsession. Elle présentait cette admiration comme un attrait esthétique, plastique, sans doute véhément, mais comme si ce sentiment tenait de la fascination qu'on peut entretenir pour un tableau de maître.

C'est donc de concert qu'elles vérifiaient si l'autre était venue, ce qu'elle portait, de quelle humeur elle était ce jour-là. Et Céline entendait cent fois:

— Comme elle est belle! Comme elle est belle!

Il y avait une robe que Laure portait très souvent et qu'Andrée en était venue à considérer comme un symbole, comme un tartan caractéristique. C'était à ce signe qu'Andrée souvent la localisait d'un seul coup d'oeil, et son dessin avait acquis par association une identité rituelle. Elle chercha longtemps une étoffe semblable, aux mêmes couleurs, dont elle aurait pu se confectionner une écharpe, par exemple, mais n'en trouva jamais. Pour un temps, cette idée l'intrigua: était-ce si sûr qu'elle évitait soigneusement d'attirer son attention, comme elle le croyait?

Quand elles se croisaient, jamais le moindre signe d'intelligence, jamais la moindre réaction. Si elles avaient poussé à l'extrême limite, par complicité, le jeu de l'indifférence, ou plutôt de l'inconscience absolue, elles n'auraient pas mieux réussi. Bien sûr, Andrée était certaine de ne pas s'être trahie, et c'est ce qui lui permettait de poursuivre le jeu.

Son dilemme lui apparaissait de plus en plus net: elle ne pourrait pas s'approcher d'elle sans l'alerter de façon plus ou moins claire sur l'ambiguïté de ses motifs, surtout qu'elle ne réussirait jamais à cacher complètement l'état d'excitation où elle se trouverait. Et alors, comment l'autre ne serait-elle pas choquée d'une pareille idée? Ne serait-ce pas là, quelque geste qu'elle posât, la façon d'anéantir tout espoir, de perdre même l'état de neutralité où elle pouvait continuer à se maintenir à ses yeux?

Lorsqu'elle revoyait Jean-Charles, elle n'avait qu'un seul objet en tête, mais c'était chose acquise qu'elle ne lui en parlerait pas. Pourtant, elle tentait soit de provoquer quelque rencontre avec Laure alors qu'elle serait avec lui, soit de l'entretenir de choses qui eussent pu l'amener à ce sujet. Ces détours ne l'avançaient guère.

En fait, cette intrigue n'affectait pas encore trop sa vie. Si elle eût raconté la progression de cet engouement bizarre, le récit en fût apparu comme d'une trame solide, coordonnée, cohérente; mais cela eût été dû à la sélection inévitable, dans sa vie quotidienne, de tout ce qui pouvait avoir trait au déroulement de l'histoire. En réalité, cette obsession était bien déjà la ligne dominante de son activité, mais ne se manifestait que par d'occasionnelles invasions d'images, par ses rêves répétitifs, ses fantaisies d'une mélancolie entretenue et l'excitation subite qui la prenait quand elle observait l'autre:

par quelque déclic, elle revenait vite à la vie réelle, et son comportement n'en était pas affecté, moins qu'au début, alors qu'elle n'avait pas encore identifié la raison d'une insatisfaction véhémente et chronique. Elle était maintenant rassurée d'avoir circonscrit le mal, et son éradication ou son assouvissement devenaient des options compréhensibles, saisissables; et ce dilemme clairement envisagé était plus supportable que l'agacement irrationnel, l'agressivité, la mélancolie désespérante qui l'avaient d'abord subjuguée.

Cette nouvelle assiduité à fréquenter Jean-Charles amenait d'autres résultats que ceux escomptés. L'intérêt qu'il portait à Andrée avait toujours été mêlé d'une certaine méfiance et d'une sorte de dureté, d'une attitude de provocation et d'effronterie par laquelle il tentait de pénétrer sa défensive et espérait qu'à force d'être bousculée, elle en viendrait, par quelque imprudence, à prêter le flanc à ses intrusions.

Mais souvent ces joutes verbales devenaient plus cinglantes et ne réussissaient qu'à les piquer l'un et l'autre sans les rapprocher. Jean-Charles avait l'impression de monter à l'assaut de l'obstacle avec une énergie impuissante, emballée, portant à faux. Andrée ne le détournait pas de ces jeux, mais n'avait pas l'âme à y mettre du sien. Un jour qu'il avait engagé l'attaque assez durement, il lui dit, tentant de pousser son avantage:

— Tu sais que tu es une petite garce?

— Mais oui, mon cher! Tout ce que vous dites, mon cher!

— Tu as cette mentalité de reine-abeille, de mante religieuse...

— La flatterie ne t'avancera à rien!

— Tu es très féminine, en d'autres termes...

— Écoute, si tu ajoutes l'insulte à l'injure!

— Tu forces les autres à se compromettre, à s'impliquer de façon irréversible, sans jamais toi-même prendre le moindre risque; en fait, tu peux aller jusqu'à porter une certaine attention aux agitations de la canaille qui t'entoure, à encourager, par cette forme de curiosité manifeste, les ébats de ces créatures...

— Écoute, si tu... t'ébats, personne ne t'y force! Et je t'assure que tu n'excites en rien, mais en rien! ma curiosité.

— Alors qu'est-ce que j'excite?

— ...

— ...

— Mon ennui!

Il se mit à déclamer, d'un ton neutre, comme à une tierce personne:

— Leur arrogance atavique est parfois des plus abjectes. Les moeurs des autres espèces les dégoûtent. Elles ne négligent pas d'en observer et d'en dénoncer toutes les bassesses, et d'en provoquer même l'étalage...

— Tu n'as peut-être pas bien saisi que tes sottises m'ennuient! rétorqua Andrée, avec une froideur que Jean-Charles prit au sérieux.

— Dans ce cas je poursuivrai quand on m'y invitera.

Et il sortit.

Le lendemain, Andrée se leva en se disant:

— Je suis horrible avec lui.

C'était un samedi. Elle se demanda si elle devait essayer de le voir. À tout hasard, elle passa chez Céline, mais il n'y était pas. Céline sortait du lit.

— Qu'est-ce que tu fais là? lui demanda-t-elle innocemment, comme s'il était dans l'ordre des choses qu'Andrée ne pût venir la voir un samedi.

— En fait, je me demandais si je pourrais trouver Jean-Charles...

— Écoute, il ne vient pas s'asseoir au pied de mon lit pour assister au *petit lever*!

— Si je me levais à une heure pareille, je ne m'en vanterais pas.

Elles déjeunèrent au jardin. Cette matinée d'août s'annonçait très belle, le soleil semblait percer cet air matinal selon un clivage très net, pur, d'une transparence cristalline. La fraîcheur nocturne ne s'était pas encore complètement sublimée, et un film de rosée s'attardait sous les feuilles.

Andrée prit la main de Céline, doucement, et elles parcoururent lentement le jardin, d'un pas mesuré, délibéré, épaule contre épaule, en absorbant la beauté de cette journée. À la lumière directe du soleil, le déshabillé de mousseline blanche que Céline portait devenait éclatant, éthéré, d'un romantisme vieillot, comme dans ces photographies où les contours sont transfigurés. Quand elles passaient leur bras autour de leurs tailles, les silhouettes auréolées se rétrécissaient en leur milieu, semblaient devenir plus instables, comme un mobile qui vacille tout à coup si le vent le frappe de plein fouet.

10

Il s'écoula plusieurs mois sans qu'Andrée se rapprochât davantage de Céline ni de Jean-Charles. Ce dernier était en froid avec elle, du moins c'est ce qu'il lui semblait. Ce n'était que par hasard s'ils se disaient quelques mots, et sans jamais s'approcher émotivement l'un de l'autre, sans traverser l'espèce de cercle psychologique dont on exclut, pour ainsi dire, les corps étrangers.

Puis elle devint plus intime avec Céline, et par moments il lui sembla qu'elle l'aimait, pas totalement — comme elle aimait Laure — mais d'une façon qui pouvait passer pour vraie aux yeux du commun. Céline avait adopté envers elle une attitude de demi-compromission, qu'elle n'excédait jamais, sans doute, mais qui devait convenir à l'entente tacite à laquelle elles en étaient venues.

Mais en même temps que cet attachement se dessinait, Jean-Charles s'éprenait de plus en plus visiblement de Céline, et, de plus en plus assidu, commençait à l'accaparer sérieusement. La difficulté de cette situation, dont Jean-Charles était inconscient, n'avait causé aucun heurt, tant par suite de l'innocence de leurs rapports que de l'ambiguë complicité des deux jeunes filles.

Mais cet arrangement devenait moins soutenable à mesure que Jean-Charles se compromettait et que Céline ne pouvait plus feindre de sous-estimer la profondeur de cet intérêt.

Du moins, c'est ainsi qu'Andrée voyait les choses.

Andrée, depuis trois ans qu'elle les fréquentait, avait toujours considéré Céline et Jean-Charles, les deux amis, comme un couple naturel, prédestiné, indissociable, dont le rapprochement définitif n'avait tardé que par suite de leur prudence, de leur circonspection, de la solidité même de leur attachement mutuel, et ce qu'elle transposait ainsi jusqu'à un certain point, c'était l'admiration qu'elle portait à l'un et à l'autre : Jean-Charles, entier, passionné, franc, intolérant devant tout camouflage ou toute lâcheté, désarmant par sa façon de s'attaquer toujours à l'armature même des contraintes qu'il refusait, des situations qu'il voulait renverser ; Céline, sensible, réceptive, d'une tendresse sans aucune réserve envers ceux qu'elle aimait, mais pourtant rationnelle, analytique, d'une intelligence exigeante, incoercible.

Quelles que fussent les affinités que ceux-ci pouvaient avoir l'un pour l'autre, Andrée, les ayant rencontrés ensemble, et les ayant découverts et appréciés par une progression parallèle, les avait ainsi associés l'un à l'autre, en ne croyant pas préjuger de la réalité mais plutôt accepter l'ordre des choses.

Maintenant, quand Jean-Charles arrivait, Andrée s'éclipsait, sans trop en avoir l'air, même si Céline tentait de la retenir. Quant à Jean-Charles, il semblait considérer comme naturel, dans les circonstances, qu'on lui ménageât ces périodes d'intimité avec Céline.

Toute l'affection et la tendresse qu'elle éprouvait envers Céline, Andrée tenait pour acquise l'impossibilité de la lui prodiguer par ses propres moyens, et, pour elle, Jean-Charles jouait le rôle qu'elle acceptait de lui concéder: de par son excellence et sa qualité, combler chez Céline le manque de tout ce qu'elle pouvait encore attendre afin de parfaire son univers. Et il avait semblé à Andrée que nul mieux que lui n'y arriverait jamais, et que lui, en contrepartie, ne pouvait désirer mieux que Céline, nul objet plus doux, nul attachement plus riche ni plus raffiné. En imaginant le bonheur qu'elle les jugeait destinés à connaître, si irrépressible, si envahissant, elle se représentait la joie la plus excessive, comme un emportement diluvien, suffocant, et elle en éprouvait presque elle-même l'intensité.

Ce fut à l'occasion d'une de ces rencontres fortuites que l'intrigue se dénoua. Jean-Charles avait surpris les jeunes filles cet après-midi-là, alors qu'elles se lisaient l'une à l'autre des pages de leur journal, sélectionnant les extraits les plus littéraires, les plus réfléchis, qui, s'ils ne révélaient rien de trop intime, mettaient le plus en évidence les fondements de leur analyse et les points sensibles dont l'importance était révélée par le fait même qu'ils eussent été consignés.

Jean-Charles ne laissa en rien paraître qu'il aurait préféré trouver Céline seule. Mais il avait cette même attitude qu'il affichait depuis quelque temps, cet air tendu, sérieux, presque préoccupé, comme s'il préparait quelque grave entreprise. Céline s'était un peu assombrie, comme pour s'adapter à son état d'esprit, et Andrée eut cette réaction habituelle de sentir qu'elle les dérangerait si elle n'inventait quelque prétexte pour les laisser seuls. Comme elle partait, elle surprit un coup d'oeil que lançait Céline dans sa direction, où elle décela cet agacement que Céline avait parfois envers elle quand Jean-Charles était là, bien qu'Andrée ne se sentît nulle culpabilité d'intervenir entre eux. Elle se sentit perdue.

Le lendemain, Andrée était venue dîner chez elle, et elle allait retourner à son travail quand Céline arriva, furieuse:

— Là, tu dépasses les bornes! Penses-tu que Jean-Charles ne s'aperçoit pas que tu passes la porte chaque fois qu'il arrive! De toute façon, tu ne t'intéresses absolument pas à lui, tu te moques pratiquement de lui, tu montres parfaitement que tu ne lui accordes aucune importance, ni à moi d'ailleurs. Tu viens me voir quand tu t'ennuies, peut-être, mais s'il arrive quoi que ce soit qui ne te fasse pas plaisir, que Jean-Charles vienne nous voir, par exemple, on voit bien que tu te fiches complètement de nous! Il y a trop longtemps que les choses en sont là sans que je dise rien!

— Tu te trompes complètement...

— D'ailleurs tu peux penser de Jean-Charles ce que tu veux; je n'ai rien à faire de ce que tu en penses, il n'est pas si mal que tu crois, c'est tout. En fait, ce que Jean-Charles pense de cela, et s'il est choqué que tu te moques de lui, je n'en sais rien, ce n'est pas cela qui est le plus important; je ne m'intéresse pas à ce point à Jean-Charles. Mais pour ce qui est de moi, si tu me considérais comme une amie, comme tu as eu souvent l'audace de me le faire croire, tu t'occuperais davantage de ce que moi je ressens de cette situation ridicule. Mais tu es d'un égoïsme transcendant, tu ne t'occupes pas de ce que je n'aie peut-être pas le goût de rester seule avec lui à tel moment.

Andrée était bouleversée et abandonna de se justifier. Elle savait que, quoi qu'elle fît, quoi qu'elle expliquât, Céline ne retrouverait plus envers elle les mêmes rapports, le même état où elle l'avait déjà connue. Il ne servait à rien d'espérer qu'on pût se rétablir d'un tel coup. Quand Céline eut claqué la porte, Andrée conclut:

— Tout est raté, c'est un fiasco. Toutes ces sottises ne sont que fiction, et la fiction la plus vide!

* * *

À cette époque, Andrée s'était bien ancrée dans cette habitude de dîner très souvent au même endroit, où elle pouvait voir Laure; et c'était toujours le point culminant de sa journée, bien qu'elle ne la vît presque toujours que de loin. Pour ne pas être remarquée, elle évitait même en entrant de la chercher des yeux, sauf par un seul regard dont elle balayait la salle, au risque qu'elle ne l'aperçût pas et s'assît quelque part d'où elle ne pourrait la voir. Même plus, lorsqu'elle en vint à craindre que son jeu ait été découvert, elle évitait en entrant de regarder dans la direction où Laure se trouvait le plus souvent, mais se contentait de vérifier que celle-ci n'était pas dans l'autre moitié de la salle, celle où elle prenait rarement place; puis, sans avoir levé les yeux, elle choisissait un endroit d'où elle pourrait surveiller le coin habituel de Laure. C'était après s'être assise qu'elle lançait les premiers coups d'oeil. Mais il arrivait aussi qu'ayant choisi sa place de cette façon, sans bien regarder autour d'elle, elle se trouvait s'être assise face à face avec elle, à trois pas. À ce moment, elle était saisie d'une sorte de stupeur, perdait toute contenance, et, essayant de manger, avait du mal à avaler une bouchée.

Jusqu'à cette époque, Céline l'avait accompagnée, d'habitude, mais plus cela tournait au vaudeville, plus Céline était ennuyée de cette inlassable répétition des mêmes manoeuvres, des mêmes conversations, des mêmes poses qu'Andrée ne pouvait éviter de prendre, par camouflage ou par gêne. Enfin, Céline en eut assez et refusa le plus souvent de la suivre. À ce moment, Andrée espaça un peu ses apparitions, même quand elle était libre à midi, et dînait souvent ailleurs. Cela n'avait comme résultat que d'exacerber la situation, car ces rencontres, plus rares, prenaient une importance accrue.

C'est à ce moment-là qu'intervint la brouille avec Céline, et Andrée ne s'y rendit que plus rarement encore. D'ailleurs il arrivait que Laure ne vînt pas pendant de longues semaines, surtout l'hiver. Parfois, Andrée s'inquiétait que

Laure fût partie, disparue, qu'on ne la revît plus. Puis, elle finissait par l'apercevoir et était rassurée pour un temps.

À cette date se produisit un nouveau tournant pour le pire. Andrée, ce jour-là, avait dîné à un autre endroit. C'était un restaurant assez grand, à plusieurs salles, et Andrée s'était assise à l'une des tables située à dix pas de l'entrée, face à la porte, lorsqu'elle vit entrer un groupe de quatre ou cinq personnes, Laure en tête. Andrée ne l'avait jamais vue avec ces gens. À juger d'après leur apparence, il s'agissait plutôt d'un dîner d'affaires que de ces dîners entre camarades où on voyait Laure d'habitude. Laure, entrant face à Andrée et passant inévitablement près d'elle, n'aurait pu manquer de la reconnaître, si elle se fût souvenue d'elle. Laure, précédant les autres, ralentit, choisissant la table, vérifiant d'un coup d'oeil que cela leur convenait, et s'assit face à Andrée, à la table voisine, presque à portée de la main. Andrée s'était efforcée de ne pas lever les yeux tout de suite, mais, sans la regarder, voyait chacun de ses gestes. Andrée rougissait, confuse, presque inquiète. Pourquoi cette table parmi cent, cette place même, parmi... je ne sais combien!

Et Andrée ne pouvait éviter l'insidieuse question, si improbable, si invraisemblable:

— Est-ce qu'elle fait comme moi?

Et cette question, toute impossible et incroyable qu'elle fût, ne laissait d'être troublante, irrépressible, inévitable...

Laure n'avait évidemment donné aucun signe d'intelligence mutuelle, mais leurs regards ne purent manquer de s'entrecroiser cent fois, même s'ils avaient la consistance la plus vide possible. Andrée était au plus mal. Elle s'efforçait d'empreindre ses gestes et ses regards de l'inertie et de la désinvolture la plus totale. Elle éprouvait la même sensation que l'acteur sur la scène qui évite consciemment de remarquer l'auditoire. Elle imaginait facilement que Laure eût pu être sujette à la même prétention, manifester la même gaucherie, car, dans son état naturel, Laure paraissait toujours un tant soit peu maladroite dans chacun de ses gestes, comme contrainte, comme si chaque mouvement n'était pas articulé avec la souplesse normale, mais prudemment déployé et contrôlé comme par quelque jeu dont les règles fussent difficiles à saisir. Ses gestes ne représentaient pas seulement ce réagencement naturel et constant des membres, mais, comme une oeuvre d'art conçue selon un plan arrêté, se construisaient consciemment et s'écartaient avec précision du naturel attendu.

Chez Laure, alternaient toujours ces deux attitudes: l'air enjoué, actif, mutin, communicatif, puis, occasionnellement, quand elle fronçait les sourcils et baissait les yeux, cet air assombri, inquiet, comme insatisfait ou apeuré. Ce jour-là, elle semblait plus à l'aise que d'habitude, dans ce décor différent. Mais Andrée ne l'approcha pas.

Quelques jours plus tard, Andrée l'ayant vue à midi à l'endroit habituel, était sortie peu de temps après elle, pressant le pas, au risque de la rejoindre si l'autre ralentissait; elle arriva presque à sa hauteur au moment où Laure, avec ses amies, empruntait l'escalier pour monter à son bureau. Deux fois, Laure s'était retournée, rieuse, comme si avant de monter au travail, elle voulait admirer la nature derrière elle et absorber, pour le reste de la journée, la chaleur du soleil, le reflux du vent, le parfum de l'herbe et des fleurs. À cet instant, comme Andrée levait les yeux vers elle, Laure se pencha, sans plier les genoux, allongeant son bras jusqu'à terre, pour prendre une fleur à ses pieds ou ramasser un objet qu'elle avait laissé échapper — il est difficile de se rappeler — et l'image de ses longues jambes nues, de son étroite ossature, que sa mince robe ne cachait pas, frappa Andrée comme un coup de fouet d'une violence insupportable, et elle se sentit tressaillir de tous ses membres.

Et cette image ne la quitta plus, incarnant plus que toute autre, plus que tout ce qui se rêve ou s'imagine, l'argument de son obsession.

Et cette question qui pour la deuxième fois

l'assaillait: Laure n'avait pu manquer de la voir en se retournant, mais la reconnaissait-elle, l'avait-elle remarquée, était-ce intentionnel, avait-elle pu inventer cette infaillible provocation? Ou plutôt, Andrée ne réalisait-elle pas que cette accumulation des occasions qu'elle créait ne pouvait qu'amener de temps en temps de ces coïncidences, improbables en elles-mêmes, mais devenues plus plausibles par la somme de leurs chances?

Cette idée que Laure fût consciente d'être poursuivie la fit trembler, elle se sentait perdue, prise de peur, incapable de s'expliquer, ou de se justifier — sans même savoir de quoi — abandonnant de se comprendre elle-même, assujettie à un irrésistible instinct de fuite et de vide. Que fallait-il faire? Fallait-il faire quelque chose? Tout ce qui lui aurait semblé en d'autres temps ou pour d'autres personnages être une solution simple, se heurtait à quelque irrationnelle réaction nerveuse, à une incertitude panique, et elle ne se connaissait plus.

DEUXIÈME PARTIE

*Être incapable de vouloir le salu-
taire retour au sang-froid, c'est
de la licence effrénée.*

Thomas Mann
(La mort à Venise)

11

Le printemps revenait. Andrée en avait connu vingt-trois, si on comptait les premiers qu'elle ne se rappelait pas. Et, pour elle, chaque fois, c'était bien à cette première bouffée de tiédeur suffisamment prolongée, à ce premier moment de la saison où la vie se mettait à sortir de terre, parfois plus tôt, parfois plus tard, qu'elle sentait que le temps avait marqué un pas de plus, avait avancé d'un cran, qu'une année de plus était passée. Et plus cette journée élue où cette période se reconnaissait pouvait trancher sur les autres, plus la transition était raide, alors plus Andrée se sentait déracinée, plus elle était empoignée par cette réaction viscérale de vouloir arrêter l'écoulement du temps ou retoucher quelque instant passé. Pourtant, entre l'hiver trop cloîtré, l'automne trop gris, l'été trop inerte, c'était la seule saison où elle se sentait vraiment vivre, même si cette sensation ne la saisissait qu'avec la force de l'angoisse, comme dans un état de regret presque physique. «Vingt-trois printemps!» Quelle triste ironie!

Cette année-là, le printemps avait vraiment surgi avec une audace sans réserve. La veille, un temps pluvieux, morne, d'un étrange calme, où les dépouilles un peu grises de l'hiver passaient inaperçues, avait ramolli toute ardeur et endormi toute inspiration. Aucune trace de drame, aucun signe de bouleversement. Andrée avait croisé Laure comme cent fois déjà, sans un geste, sans un signe, selon le même rite, ce même jeu d'incommunicables rapports, ce patron de menuet, cette trame instinctive, quasi religieuse, où les personnages font partie de cette toile de fond qu'on ne remarque plus. Plus tard, la retrouvant à nouveau sur son chemin, Andrée, impulsivement, d'un geste pourtant simple mais qui lui sembla démentiel et d'une audace que seules sa gratuité et sa singularité camouflaient, se jeta face à elle, ne levant les yeux qu'à la dernière seconde, comme si elle ne s'apercevait qu'au dernier moment qu'elle bloquait le chemin de quelqu'un; mais Laure n'avait pas quitté son air froid et calme, et ne vit rien d'anormal; et, en fait, n'y avait-t-il rien d'aussi ordinaire que d'avoir à faire un pas de côté pour éviter quelqu'un dans une foule? N'y avait-il rien d'aussi commun que cette journée froide, humide, grisâtre?

Mais le lendemain la nature s'était épanchée sans retenue, avivée par un soleil éblouissant, un air d'une tiédeur douce et sublimement impalpable, les restes de neige qui ruisselaient de toute part et montaient en vapeur, les cris des oiseaux, les éclats de voix des enfants. Ces jours-là, on voyait toujours Laure. Andrée partit dîner avec plusieurs camarades — ils étaient cinq ou six — marchant d'un bon pas, volubiles, animés. Ils allaient passer devant le bureau de Laure, et c'était l'heure où on pouvait s'attendre à la croiser. Effectivement, Laure sortit juste devant eux avec deux de ses amies. L'une d'elles se retourna, puis se penchant vers Laure, lui dit quelques mots à l'oreille, et il vint à l'idée d'Andrée qu'à l'inverse de la réalité, c'était elle-même qui était épiée. Puis elle se remit à la conversation et allait dépasser l'autre groupe d'un pas allègre quand, vivement, Laure, se retournant, se campa face à face avec Andrée, tournant le dos à ses amies mais reculant lentement pour prétendre s'adresser à elles, et, comme si elle ne pouvait résister à l'éblouissante beauté de cette journée, tournant sur elle-même, examinant partout autour d'elle les complaisances de la nature, s'écria, enthousiaste, avec un sourire éclatant et une conviction apparemment irrépressible:

— Ce qu'il fait beau aujourd'hui!

Déjà Andrée les avait dépassées, déjà cette seconde était disparue. Mais il n'y avait aucun doute, Laure avait attendu précisément l'instant où Andrée passait près d'elle, il y avait eu dans son geste une impulsion assez claire, il manquait juste assez de naturel pour qu'Andrée fût certaine que ce n'était pas un hasard. Mais Andrée avait été frappée d'une telle surprise qu'elle n'avait eu aucune réaction, qu'elle avait bêtement continué à regarder droit devant elle.

Il lui sembla plus tard, quand elle eut mille fois revécu ces instants, que si elle avait été seule, ou avec Céline peut-être, elle eût fait quelque chose, comme elle disait. C'était un fait: rien n'aurait paru plus simple que de lui parler; c'eût été même plus naturel que ce qui était arrivé, car Andrée en avait retenu une impression coupable, comme si elle avait laissé Laure suspendue entre deux phrases. Rien n'aurait été si facile. Rien n'aurait été si ordinaire. Mais, avec les autres, décontenancée, moins à l'aise, comme entraînée par eux, elle n'avait pas eu le temps de réagir.

Peut-être aussi s'était-elle dit, à l'instant de surprise et de choc, que ce serait la prochaine fois, que ce ne pouvait plus être maintenant qu'une question de jours, puisqu'elle était provoquée, puisque la plus petite excuse, ou le plus petit élément de collusion qui lui avaient manqué s'étaient produits, que la crise était résolue. Peut-être pouvait-elle croire cela à ce moment! Comment aurait-elle pu se représenter ce qui allait advenir?

Elle fut pendant plusieurs jours fâchée contre elle-même, fâchée de sa lâcheté. Puis, lentement le doute lui revenait: était-ce absolument sûr que ce n'était pas un hasard; n'est-ce pas souvent l'improbabilité seule de la coïncidence qui entraîne la certitude, la conviction, et efface la part de doute qui devrait rester? Et en rationalisant, elle se perdait, et en venait à n'être plus exactement sûre de ce qui s'était passé.

Elle en revenait à un examen théorique du problème: comment pouvait-elle se permettre de manifester son intérêt, de quelque façon que ce soit! Cela ne se faisait pas. Une telle idée n'était-elle pas, déjà de prime abord, impensable? Le moindre geste lui semblait d'une abominable audace. Elle ne savait pas comment elle serait reçue! Et quelle insondable prétention que d'imaginer autre chose que la rebuffade la plus intolérante. Quelle prétention, quelle insulte même! Et pourtant, quand on en revenait à ce point de vue théorique, l'autre ne pouvait-elle pas être flattée, ou curieuse, ou indifférente, ou amusée...? Ou intéressée! Et n'existait-il pas une probabilité non nulle associée à chacune de ces options?

Ou, pour prendre les choses autrement, ne

s'agissait-il pas simplement de l'approcher, pour commencer, c'est tout? Mais c'était impossible de l'approcher sans qu'il fût clair qu'il se tramait quelque chose! Et même l'approcher, quand il n'en tiendrait qu'à cela, ce n'était pas si simple; si ces choses sont faciles à arranger dans les romans, il n'en est pas ainsi dans la vie.

Les jours qui suivirent marquèrent pour Andrée une nouvelle étape de son désespoir, une rechute plus grave dans son état de mélancolie qui auparavant ne lui venait qu'au réveil, après les rêves les plus traumatisants, ou dans les déceptions les plus blessantes. Maintenant, si elle voyait Laure, il lui fallait des heures pour revenir à son état normal, elle ne fonctionnait plus; elle ne rêvait pas, elle ne réfléchissait pas, elle sombrait dans une schizophrénie douce, superficielle, mais dont elle ne sortait que sous le coup de quelque intrusion du monde extérieur, la sonnerie du téléphone, l'heure d'un rendez-vous, une tâche urgente à faire. Il lui semblait qu'elle cherchait inconsciemment une solution à un problème qu'elle avait elle-même construit, et qui était fait de données logiquement inconciliables. De toutes ces heures, il ne lui restait jamais rien, pas une idée, pas un espoir: elle n'avait rien décidé, rien réglé, rien compris.

Quand elle avait repris ses esprits, ces accès ne lui revenaient pas d'eux-mêmes. Elle se tenait occupée, ce qui trompait son mal. Un jour, les amis décidèrent d'aller à un parc d'amusement. C'était très étrange: à son âge, elle n'y était encore jamais allée, ni dans son enfance, ni plus tard. Pour les autres, c'était une bizarrerie, une chose qu'on ne fait plus; pour Andrée, c'était presque une découverte, tous ces jeux n'offraient plus ni surprise ni émotion, et correspondaient sans s'en écarter à ce qu'elle pouvait en imaginer à les avoir vus cent fois du dehors, et pourtant, cet élément de nouveauté, répété et renforcé par surcharge, l'avait désorientée et elle fut prise d'une certaine euphorie. Le lendemain, elle se sentit moins jeune.

Quand Jean-Charles vint la voir, toujours tendu, comme à son habitude, avec cet air ombrageux qu'il avait constamment et qui pouvait passer pour un air de reproche ou de déception chronique, Andrée le reçut mieux qu'à l'ordinaire. Puis, au milieu de la conversation, elle lui dit soudain:

— Si tu me parlais plus doucement, je pense qu'on se comprendrait mieux.

— Tiens! c'est ce que j'ai toujours cru, justement. Mais il ne me serait pas venu à l'idée que tu sois... capable... de travailler dans un autre registre!

— Je pense plutôt que c'est de toi que tu doutes...

— Ah! et puis! j'abandonne...

Il ne dit pas ce qu'il abandonnait. Mais

s'approchant d'elle, il l'embrassa doucement, d'un geste d'une si totale simplicité, d'un tel détachement, mais où transparaissait une telle tendresse, qu'ils tressaillirent tous les deux, et au lieu de poursuivre la retraite qu'il avait voulu amorcer, ils tombèrent dans les bras l'un de l'autre. Sous le choc de leur rapprochement, ils n'eurent le temps de s'entraver d'aucune réflexion, de développer nulle résistance; leur ardeur fut si soudaine et résolvait un tel déséquilibre de leurs rapports qu'elle atteignait la force d'une véritable conversion. Leur union n'eut ni pudeur ni sobriété; ni gaucherie, ni réserve.

Mais dès que Jean-Charles fut parti, Andrée retrouva toute sa lucidité, et pour la première fois dans ces circonstances, elle eut le sentiment un peu vague d'une regrettable méprise. Non qu'elle dévaluât leur attirance et leur affection mutuelle; mais elle était assaillie par la conviction d'avoir commis quelque erreur d'aiguillage, d'avoir confondu ses visées et contredit quelque profonde loi à laquelle elle fût assujettie.

Bien qu'elle tentât de ne pas comprendre et de s'étourdir pour ne pas penser, à mesure qu'elle réalisait malgré elle ce qui la tourmentait et que l'image de Laure la poursuivait, elle était forcée d'accepter sa soumission à cette fantaisie, affolée de s'apercevoir que tout accroc à cet esclavage lui deviendrait de plus en plus intolérable, qu'elle n'aurait de cesse qu'elle la conquît et d'assouvissement que par elle. Ses autres amours, ces fictives agitations, prenaient une pâleur désespérante.

12

C'était décidé! Elle lui parlerait la prochaine fois qu'elle la verrait! Peu importe où,
ni quand! C'était assez! Il y avait, quoi, cinq ans
maintenant qu'elle l'avait vue pour la première
fois. C'était loufoque! Il n'était plus question
d'hésitation, d'inquiétude, de gêne... Il fallait résoudre cette crise qu'elle ne pouvait plus supporter. Il n'y avait qu'à plonger, trancher la question
une fois pour toutes, c'était simple. Tant mieux si
elle arrivait ainsi à se rapprocher d'elle, tant pis si
elle ratait tout définitivement; au moins elle serait
libérée, on n'en parlerait plus. Andrée était
convaincue qu'elle avait mis de côté tout orgueil
et toute appréhension; tout allait se faire calmement et pratiquement, ce serait la fin de ce ridicule état de doute et de malaise.

Cette rencontre ne tarda pas. Ce soir-là,

Andrée avait assisté à un film, au cinéma de répertoire où elle se rendait souvent. Dans la mesure où elle pouvait s'en souvenir, il s'agissait d'«*Une vie*» d'Alexandre Astruc. Quoi qu'il en soit, il était tard, et Andrée, étant sortie en vitesse de la salle, traversait l'immense hall vers les portes à battants, quand elle aperçut Laure droit devant elle, filant à toute allure elle aussi vers la sortie. Elle était sûre que Laure l'avait vue, et elles allaient sortir l'une derrière l'autre. À quelques pieds de la porte, Laure s'aperçut soudain qu'il pleuvait à verse, et d'un geste qui eut l'air délibéré, s'arrêta net, sur place; Andrée, qui arrivait en trombe, la heurta de plein fouet et avec un tel choc qu'elles perdirent presque pied l'une et l'autre.

Andrée, complètement décontenancée, et ne pouvant éviter de se répandre en excuses et de s'assurer que l'autre n'avait pas de mal, au lieu de cela, fit ce qu'il y avait dans les circonstances de plus bizarre et de plus inexplicable: elle resta figée plusieurs secondes sans dire un seul mot; et Laure, tout aussi étrangement, ne se retourna même pas, et resta debout immobile devant elle, bloquant le passage. Puis Andrée dit: « — Excusez-moi. » Et Laure, comme si elle s'apercevait tout juste qu'on l'avait presque renversée, s'écarta du chemin d'un grand pas de côté particulièrement démonstratif, et lui dit de la même façon, comme l'autre passait:

« — Excusez-moi », sans lever les yeux de terre, mais avec un sourire mi ironique, mi amusé. Et Andrée fila sous la pluie battante sans se retourner, en fuite, en déroute, sans avoir encore réalisé ce qui s'était passé, déconcertée, désespérée.

Andrée se convainquit que son plan ne s'était écroulé, cette fois-là, qu'à cause de cet élément de surprise et de choc. Et elle en remit l'exécution à la prochaine occasion, qui ne se fit pas attendre.

Deux jours plus tard, à l'heure habituelle où elles empruntaient la même rue pour aller dîner, Andrée aperçut à nouveau Laure devant elle: simplement en marchant de son pas normal, Andrée allait tout naturellement la dépasser un peu plus loin, elle aurait largement le temps de la rejoindre, sans presser le pas. C'était l'instant de décision. Cette chance serait aussi bonne qu'une autre, il n'y avait aucune raison d'hésiter ou de remettre. C'était fini. C'était maintenant ou jamais. Laure n'était pas seule, mais cela n'avait aucune importance: Andrée avait bien établi qu'elle ne tiendrait pas compte de cela.

Et puis, elle avait bien trois minutes de réflexion. Elle allait même préparer ce qu'elle lui dirait. Enfin, tout serait résolu, pour le meilleur ou le pire. Le coeur lui battait à tout rompre. Mais en se rapprochant, elle avait bien prévu sa stratégie, elle savait exactement tout ce qu'elle lui dirait. Rien ne pouvait l'arrêter. Il ne pouvait plus rien se produire, elle arrivait près d'elle, ce serait la fin de cette comédie. Elle était si nerveuse qu'elle se sentait vibrer de tous ses membres, soumise à cette énorme tension, mais cela non plus ne l'arrêterait pas.

Elle était à côté d'elle. Elle sentit un tremblement la saisir aux chevilles: et quand, à chaque pas, le pied, un instant arqué, soutenait son poids, elle sentait le tendon de la cheville, et le genou, céder sous l'effort, et réalisa qu'elle tremblait horriblement, la démarche déséquilibrée et saccadée, et que, pour peu qu'on l'observât, elle devait donner un spectacle ridicule. Elle avait la gorge serrée. Était-elle capable de parler? Elle n'en était pas sûre; en fait, elle ne le croyait pas.

Elle dépassa Laure sans un geste, sans un regard, rouge de honte, et descendit la longue allée, devant l'autre, sans réussir à retrouver son contrôle locomoteur, la cheville fléchissant à chaque pas. Elle avait été prise d'une véritable panique. La preuve était faite! Ce ne serait pas aujourd'hui! Ce ne serait donc... jamais! Cette terreur lui était venue sous l'emprise de cette décision préparée, consentie, qu'elle s'était imposée à elle-même, comme elle lui était auparavant venue aussi de la soudaineté et de la surprise. C'était sans issue.

Elle évita de revoir Laure ce jour-là. Pour

la première fois, elle était finalement découragée, c'est-à-dire complètement vidée de tout espoir et de tout dessein, amortie et exsangue.

Tout aurait été si simple au début, elle aurait pu l'aborder cent fois sans aucune gêne, avant que tout cela en vînt à prendre une telle importance, avant que se construisît entre elles ce mur infranchissable. Aujourd'hui, il faudrait d'abord quelque circonstance favorable et imprévue, une atmosphère de calme et de simplicité, et même là, ce serait une prouesse, un acte d'héroïsme, que de réussir à transcender cet état d'incommunicabilité.

Pendant plusieurs jours, elle resta abattue, elle ne savait plus quoi inventer, elle savait qu'elle ne trouverait plus rien, que toute agitation serait sans objet.

Il n'y avait qu'à abandonner, oublier, distraire sa passion. Elle s'occupa de ses affaires courantes, se mit à fréquenter Jean-Charles davantage, courant avec lui théâtres et concerts. Elle se retrouvait dans un univers simplifié, quotidien, machinal et sans intérêt. Un jour, ils aperçurent Laure, et Andrée attira sur elle l'attention de Jean-Charles:

— Oui, oui, c'est bien elle. Je la vois rarement. Elle se marie bientôt, tiens: à la fin de l'été, le trente-et-un août, je pense.

Comment ne la vit-il pas pâlir?

Elle admettait mal cette idée, comme si, par

une logique inconnue, cela fût inconciliable avec quelque certitude acquise. Subitement, elle ne voyait plus Laure de la même façon. Il y avait quelque chose qui détonnait dans cette trame incompréhensible.

Puis, plus tard, quand elle tombait sur elle, elle l'observait, non plus à la dérobée, mais avec attention, et même fixement, comme pour enregistrer cette nouvelle image d'elle, pour l'étudier sous ce nouvel angle, avec une nouvelle curiosité, sous l'empire d'une nouvelle urgence. Maintenant qu'elle avait admis que cette passion était impossible, elle ne cachait plus son jeu, comme si le détachement du désespoir s'était installé à demeure et que plus rien n'eût de conséquence. Il ne restait plus maintenant qu'à boire la coupe jusqu'à la lie.

Laure ne se soustrayait pas à ces attentions. Il semblait à Andrée, non seulement qu'elle ne l'évitait pas, mais qu'elle avait adopté cet arrangement, auquel Andrée semblait tenir, de ne permettre aucun contact mais d'entretenir ce rapprochement, réglé à une certaine distance qu'on eût acceptée tacitement.

Un jour qu'Andrée était en train d'acheter quelque chose dans un magasin, Laure était entrée, et s'était mise à flâner dans les rayons voisins, feuilletant des revues qu'elle laissait ensuite là, respirant des flacons de parfum, examinant les articles, sans lever les yeux, et toujours à cette

distance à laquelle Andrée s'était habituée. Andrée ne sut que faire, elle sortit, et il n'y eut pas
de suite.

13

Andrée et Jean-Charles, qui écoulaient le temps ensemble, plus qu'autre chose, terminaient souvent la soirée l'un avec l'autre. Cette intimité n'allait pas sans un certain malaise. Une fois, elle laissa échapper:

— Jean-Charles! Pauvre Jean-Charles!

Jean-Charles eut la réaction instinctive mais incertaine de s'esclaffer à moitié.

— Je ne te connaissais pas ce ton-là! Là, je ne sais pas traduire! C'est l'apitoyement ou l'affection maternelle?

Andrée restait immobile, sombre; et, consciente qu'elle ne lui avait jamais laissé voir cette face d'elle-même, mais incapable de la brouiller, elle tentait de se détourner jusqu'à s'anéantir; elle aurait voulu en un instant se désincarner, et que Jean-Charles transmigrât dans le lit d'une autre, et qu'elle n'eût pas une seconde de plus à soutenir ce ballet de marionnettes, cette danse dont, en catastrophe, les règles lui échappaient et dont elle ne pouvait se tirer honorablement qu'en jouant l'évanouissement ou en interrompant l'orchestre.

Caprice de petite fille, ou retour de pudeur après le fait? C'est ce qu'il pensa, ou préféra penser. Pourquoi soupçonner leurs rapports qui lui semblaient si naturels et si entièrement acceptés?

Quand il la vit sourire fixement, il abandonna toute inquiétude. Mais elle souriait d'incrédulité devant son désespoir, car, le mesurant mieux, elle en restait effrayée et stupéfaite.

Son univers s'était finalement vidé. De tous ces sentiments, ces amères distractions, de tous ces intérêts qui avaient contribué à meubler son existence, il ne restait rien d'aucune importance et qui pût équilibrer son aride passion. Ce néant empêchait toute perspective. Elle se répétait interminablement:

— Ça ne sert plus à rien! Ça ne sert plus à rien!

Et tous les phantasmes qu'elle essayait de rappeler à son profit, et qui lui apparaissaient aussitôt si insipides, elle les abandonnait:

— Quelle fiction!

Et elle ne se trouvait lucide que dans la contemplation obsessive de sa fixation.

Elle se reposa à la campagne quelques semaines. Levée à cinq heures, elle se voyait isolée dans ce monde complètement inerte. L'air matinal, cristallin et sec, renforçait ce sentiment d'un insondable vide et ciselait tout avec une netteté d'une infinie précision. Retrempée dans cette pureté de lignes, elle recomposait à partir de cet univers un cadre neuf, ou renouvelé, où elle pouvait ensuite situer ce qu'elle consentait à adopter de sa vie écoulée, une fois simplifié, émondé. Ce jeu de dépouillement était un véritable exercice de structuration *ex nihilo*... ou *ad nihilum*!

Des éléments du passé qu'elle refusait, ce qu'elle regrettait avec le plus de nostalgie, c'était son amour pour Céline, ou plutôt l'amour qui aurait pu être, qu'elle aurait vu parfois si simple, si désintéressé; n'était-ce pas là la seule possibilité de bonheur qu'elle avait entrevue, mais qui lui avait échappé; n'aurait-elle pas pu construire un amour fidèle, durable, sans regrets, et rendu assuré par son irréversible satisfaction de lui-même?

Ou bien n'était-ce pas là une fiction de plus?

Croyant voir plus clair en elle-même, elle revint finalement faire face à la vie normale. Mais ses réflexions l'avaient confirmée dans son asservissement consenti, et dans son refus de forcer le sort, de précipiter le dénouement.

Cette sorte d'attente éternelle tournait à la passivité terminale.

Ce qui la désespérait d'une façon si définitive, c'était la certitude qu'aucune communication ne serait plus jamais possible entre Laure et elle, à cause de l'intensité si totalement exaspérante de la frustration accumulée, à cause de cet excès de tension et de répression, de cette incompréhension érigée en système. Il eût fallu retrouver l'innocence originale. Si elles étaient empoignées de force et mises en présence aujourd'hui par quelque acte fatal, elle tenait pour certain qu'elle serait anéantie, qu'elle s'effondrerait d'une façon ou d'une autre. Cet édifice avait atteint un tel poids qu'il retournerait en poussière au premier choc.

Elle aperçut Laure ce jour-là à l'endroit habituel, assise un peu derrière elle. Quand Laure sortit, elle se dirigea droit sur Andrée, passant derrière elle, et, par provocation, dans un geste frondeur, pourtant dénué d'audace par sa gratuité, Laure lui racla le dos avec force de son sac à main, et avec la prétention impossible de ne pas s'en être aperçue, continua du même pas, regardant droit devant elle. Et Andrée, tout aussi incroyablement, ne se retourna pas, restant les yeux baissés, inébranlable, impassible, se sentant comme ballottée contre son gré sous les sollicitations de ses mille réactions possibles, et résistant à cet assaut du monde extérieur.

Ainsi Laure avait décidé que ce jeu avait assez duré et semblait vouloir la secouer et la tirer de cette ambiguïté ridicule et interminable.

À quelques jours de là, Andrée, qui tentait maintenant d'éviter Laure, faisait la queue dans une cafétéria où elle n'allait jamais, quand elle l'aperçut une fois de plus devant elle. Si elle ne se dérobait pas, elle la rejoindrait à la caisse, ou arriverait face à elle pour prendre ses ustensiles ou chercher une table. Andrée ralentit, tergiversa, se laissa dépasser, revint en arrière, simulant avoir oublié quelque chose, et fit si bien qu'elle ne se présenta pas à la caisse avant que l'autre fût bien assise à sa table. Elle régla la note, puis s'avança chercher ses ustensiles. Laure, juste à ce moment, se leva de table, et, prétendant avoir oublié les siens, y arriva à la même seconde qu'elle, mettant en même temps la main à la même case, prenant bien son temps, examinant soigneusement chacun des ustensiles qu'elle prenait, affichant un imperceptible sourire d'ironie et de défi, campée face à Andrée, comme l'attaquant sur son territoire, sans la regarder, mais les yeux levés, le geste désinvolte, l'air mutin.

Andrée réussit à garder son calme et ne réagit pas. Laure retourna à sa place, et Andrée, lentement, alla rejoindre ses amis à l'autre bout de la pièce.

TROISIÈME PARTIE

Or sont entrez en la rote qui jamais ne leur fauldra jour de leurs vies, car ilz ont beü leur destruction et leur mort.

(Tristan et Iseult)

14

Le présent avait de moins en moins de vie propre. Il se comprenait par référence au passé, il était grevé de mille renvois à chaque rêve, à chaque sensation, il n'était qu'un rapiéçage sans nouveauté. Tout ne s'expliquait qu'en accord avec cette trame simplifiée qui avait survécu.

La vie d'Andrée ne s'écoulait qu'avec une absence d'engagement poussée à la limite, et cela était dû à ce qu'elle tenait à conserver à chaque instant une disponibilité totale, afin d'empêcher qu'elle eût jamais à refuser le hasard qu'elle attendait, qui serait en accord avec ses espérances, et dont on ne pouvait prévoir l'avènement ni y contribuer autrement qu'en y étant prêt, en y restant prêt à chaque seconde.

Cette espèce d'état d'âme qui n'avait aucun

rapport avec la vie réelle devenait une seconde nature, sous-jacente à toutes ses actions. Elle devenait imprévisible par l'habitude qu'elle s'imposait d'un rejet systématique de toute prévision. Cet état d'attente dont elle n'espérait rien, dont elle avait prouvé qu'elle n'obtiendrait rien, cette fuite de toute construction qui pût la distraire de son but, la rendait ennuyeuse et erratique.

Elle abandonna son travail pour étudier durant un an. Même là, elle changea peu ses habitudes, il était hors de question qu'elle s'éloignât de Laure d'aucune façon, ce ne serait jamais elle qui, la première, romprait le jeu auquel elle était enchaînée. Et même quand le jeu ne se jouerait plus, faute de combattants, elle savait qu'elle continuerait à se conformer à ses règles.

Effectivement, comme Andrée l'avait entendu dire, Laure se maria. Elle disparut quelques semaines, puis revint. Andrée, qui avait craint de ne plus la revoir, fut heureuse de bénéficier de cette reconduction qu'elle ne s'était pas permis d'espérer.

Elle avait appris quelques détails de la vie de Laure, les premiers qu'elle connût, quelque date, quelque nom, quelque lieu, et cela était si mince qu'elle en souriait, fière de réduire à si peu leurs liens avec la vie courante; et ces détails, elle les appelait, frappée de la poésie de ce titre, les «*deux ou trois choses que je sais d'elle*»...

L'ardeur de son obsession ne s'abattait pas. Ce qui l'empêchait le plus de s'en détacher, c'était ces rêves anciens dont elle ne s'était jamais libérée et qui sous mille formes l'assaillaient.

Ils avaient pris sans doute une nouvelle orientation, ou plutôt une nouvelle texture. Les décors surréalistes, les murs blancs d'hôpital, les passerelles métalliques, avaient disparu. Mais les corridors étaient restés, non plus maintenant sous la forme d'interminables tunnels vides, mais comme représentant la structure même de l'espace, la cellule même du cloisonnement des foules. Car ces rêves, qui avaient subi une évolution graduelle, s'étaient peuplés de l'univers complet des gens qu'Andrée avait connus: sa famille, d'abord, dont chaque membre y jouait des rôles multiples correspondant à ses anxiétés les plus anciennes et les mieux ancrées; puis tous les groupes identifiables de sa vie sociale, chacun selon les inquiétudes qu'il avait fait naître chez elle ou l'attente qu'il avait pu susciter: ceux qui la jugeaient, ceux qui la blâmaient, ceux à qui elle était indifférente, ceux à qui il lui fallait bien paraître; et pour chacun de ces rôles il y avait cent acteurs qui se relayaient. Ces rêves étaient un fouillis d'aventures, indéchiffrable dans ses surcharges, où se déroulait un jeu étourdissant de synchronisations, d'objectifs, d'impossibilités, de faillites.

Mais dans cette vie de rêve grouillante et surexcitée, il y avait cette constante qui y apparaissait comme un leitmotiv et qui, même implicite, ne laissait pas d'affecter toutes ces agitations, de les remettre en perspective, en manifestant de temps en temps son importance absolue: Laure n'était pas là, ou Laure n'était pas venue, ou Laure était revenue après dix ans, ou Laure allait être impliquée dans quelque affaire, et on ne pourrait plus manquer de tomber sur elle, ou Laure venait habiter tout près, à un mur ou à un plafond de distance, et c'était étonnant qu'on ne l'ait pas encore vue...

15

À nouveau, les saisons marquèrent un temps. L'été fut torride, insoutenable, comme celui dont elle se souvenait bien, cinq ans auparavant, à la ferme de ses amis. On devait supporter le soleil incessant, comme un poids, écrasant et implacable. On ne portait que robe légère et blouse flottante, les épaules nues, les sandales ajourées. C'est sous cet air lourd, réfracteur, aveuglant, qu'Andrée reverrait toujours la large allée serpentante que Laure, comme elle, aurait emprunté mille fois, et, de chaque côté, les pelouses — de-ci, de-là, renflées ou affaissées — qui allaient se haussant à force de haies et d'allées fleuries jusqu'aux façades qui semblaient par contraste si distantes et si sombres. Ces jours-là, le temps semblait parfois ralentir au point de s'arrêter, finalement détraqué. Seules quelques cigales, intemporelles, n'avaient pas succombé à ce figement universel, et les imperceptibles bruissements de feuilles ne semblaient que la trace d'une dernière agitation.

Andrée apercevait Laure de temps en temps, et, de loin, d'un simple coup d'oeil, tout au plus, s'assurait qu'elle n'avait pas encore disparu.

Elle apprit que, par une coïncidence étonnante, Laure habitait maintenant la maison où elle-même avait déjà vécu. Cela, d'une part, lui sembla invraisemblable et anormal: cette ville n'était pas grande, mais tout de même, il y avait si peu de chances... D'autre part, elle était frappée de l'ironie qu'elle trouvait à cette bizarrerie du sort, qui se travestissait en une sorte de signe augural, un geste de la fatalité. Elle était envahie par l'amère impression de suivre à grand-peine un fil d'Ariane qui par mille détours l'eût maintenue sur la seule route qui ne la menât jamais à son but.

Les rêves, répétitifs, évoluaient à nouveau: dans ces scènes de foule, elle butait sur Laure cent fois; celle-ci apparaissait au détour d'un mur, ou, face à elle, à la même table, ou, près d'elle, sur un même banc, ou derrière une porte qu'elle ouvrait, ou bien Laure la croisait après une approche interminable. Elle se réveillait en nage, désespérée, et retournant encore dans sa tête, en écho, cette idée, liée au sentiment horrible avec lequel elle était aux prises: Laure ne m'a pas parlé! elle refuse de me parler! de me voir!

16

En quelques mois, ces sentiments s'intensifièrent et Andrée en devint inquiète. Elle ressentait fébrilement l'urgence de quelque action, le temps fuyait, elle se voyait cantonnée sur cette voie d'évitement à laquelle elle s'était elle-même résignée, à laquelle elle se forçait. Et pourtant elle était tenaillée par cette constante angoisse qui lui rappelait que ses dernières chances lui filaient entre les doigts, qu'il était encore temps pour quelques jours, peut-être, ou quelques heures, de secouer sa torpeur et de porter le coup décisif, que cet instant de conscience et d'hésitation pouvait constituer la dernière scène du drame, racheté par le soulèvement d'un dernier effort, ou abandonné à l'irrévocable dénouement. Cette tension incessante l'épuisait et, à la moindre fatigue, la prenait à la poitrine, et elle avait peur de défaillir. Elle combinait des stratagèmes pour tromper son obsession et s'obliger à s'en reposer. Le soir, alors que par la fatigue son jugement était émoussé, elle prenait des décisions, imaginait des intrigues qui résoudraient cette crise, mais, le matin, l'esprit plus sobre, elle devait écarter ces élucubrations simplistes qui ne supportaient pas l'épreuve du sens commun. Ces oscillations empêchaient qu'elle pût coordonner ses actes avec quelque constance et quelque suite. Elle se sentait complètement dépassée par l'accélération du décor qui l'entourait et son ineptie lui apparaissait grandissante et irrémédiable. Si elle s'arrêtait, et se forçait à se limiter au présent, tentant de retrouver sa lucidité et de rassembler toute son attention au profit de ses activités quotidiennes, elle en éprouvait une impression de vide, de regret, d'apitoiement et d'amertume qui l'emportait en désespoir sur le climat de réflexion et d'introspection dans lequel elle se tenait d'habitude.

Pourtant, chaque fois qu'elle rencontrait Laure, surprenait ses gestes ou écoutait sa voix, elle se confirmait dans son jugement que celle-ci n'avait, en fait, rien d'extraordinaire, qu'elle n'était ni si belle ni si intelligente qu'il vînt à l'idée de lui donner un rôle pareil. C'était une femme comme les autres, on ne pouvait en douter. Et, pour Andrée, Laure pouvait autant représenter les autres femmes qu'exister pour elle-même, elle pouvait être la femme-objet ou la femme-idole, la femme-araigne ou la femme douce, la femme-reine ou la femme-enfant.

Andrée confiait à Céline ses dernières réflexions sur cet étrange charme. Pour elle, cette histoire en arrivait à sa fin et on commençait à la traiter un peu au passé. Céline apportait ses dernières explications:

— Je ne sais pas ce que tu cherchais, mais ce n'est pas vraiment elle, ce n'est pas vraiment elle pour elle-même. D'abord, on ne peut pas vouloir ce dont on ne connait rien. On a déjà dit ça... il n'y a pas de désir dans l'ignorance...

— Mais je la connais! je la connais! j'ai l'impression de ne connaître personne autant... Non, en fait, comment serait-il possible que je la connaisse? C'est sans doute une illusion...

— Écoute, c'est facile de faire de la littérature ou des paradoxes, mais très sérieusement: si tu ne l'a pas rencontrée, c'est que tu ne *voulais* pas la rencontrer... ni la connaître.

— C'est ridicule! Et pourquoi n'aurais-je pas voulu l'approcher? Parce que j'avais peur d'elle, peut-être?

— Non! Parce que tu t'es bâti une histoire: tu as cherché à créer et entretenir une image de perfection... une image que tu ne pouvais faire autrement que gâter en acceptant de la connaître, que tu savais ne pouvoir garder intacte en l'approchant. Tu t'es construit une idole, et cela avec beaucoup de travail, puis tu n'as cherché qu'à conserver cette idole.

— Mais c'est insensé! ce n'est pas du tout comme cela! D'abord, j'ai vraiment essayé de l'approcher.

— C'est faux. Sinon, tu y aurais réussi.

— Non! je suis plus proche de la vérité en croyant que j'en avais peur, rien de plus.

Et on discutait pendant des heures. On cherchait à quoi pouvait tenir cette conviction irrationnelle de l'échec avant que d'avoir essayé; et quel dosage d'espoir et de crainte pouvait mener à une pareille impasse. Tout cela semblait d'un tel artifice qu'on ne pouvait éviter d'en rire.

17

Au mois de septembre, cette année-là, eut lieu ce qu'Andrée appela longtemps «le fameux bal». Elle était tombée sur Céline et avait eu peine à la reconnaître, affublée d'une robe indienne et peinte du maquillage le plus improbable. Celle-ci affichait une humeur exceptionnellement badine.

— Tu veux passer tes vacances en pleine métropole? avait-elle proposé à Andrée. La fête dure quatre jours pleins. On entre et on sort quand on veut. Ou bien on arrive à la première minute et on part à la dernière. C'est ce qu'on attend des vrais de vrais, ceux sur qui on peut compter!

— Ton oncle a encore une petite fortune de trop à écouler? On m'a déjà parlé de ces fêtes. C'est une gageure, cette histoire-là? Vu de l'extérieur, c'est une gigantesque farce! Tu sais, ce que je ne comprends pas, c'est que le service est toujours invisible.

— On sait à quelle heure une pièce ou l'autre est libre, et c'est là qu'on la replâtre un peu.

* * *

Elles arrivèrent à l'impasse de la rue Clarke à vingt-et-une heures. De nombreux invités s'écoulaient de l'antichambre vers les salles de réception. La première salle était un déambulatoire lambrissé de bois de Lygie et tendu de tapisseries anciennes. Le mobilier camartin, disposé en quinconces latins mais sans faux-tréteaux, permettait de conserver à la pièce une impression de profondeur et d'espace qu'accentuait le toit voûté en verrière. Au fond, une sorte de *pediluvum*, croisement d'une fontaine niçoise et d'une ligurine traditionnelle, s'étalait devant une véritable pépinière de gangliers nains, de bryers, de rouchets et de saidendrons de Caroline.

Dans la deuxième salle, on avait ménagé le plateau de l'orchestre; les musiciens avaient commencé d'accorder leurs instruments; déjà les fauteuils, mobiles, étaient réarrangés suivant les groupes qui se formaient, les boissons étaient servies à même les pontrequarts roulants, l'activité était à son comble.

La salle à manger était en suite. À cette heure, elle n'était pas éclairée, mais les lourds battants étaient ouverts et on distinguait bien l'architecture syrmane et les boiseries vernies, car les murs sur trois faces consistaient en immenses fenêtres sans tentures et les projecteurs des jardins du côté nord laissaient déborder leurs feux jusqu'à l'intérieur de la rotonde.

Le long de toute cette aile s'étendaient les jardins aux haies basses découpées comme de véritables circuits imprimés, jusqu'à l'aile ouest, parallèle, qui brillait de tous ses feux. Le concert avait été annoncé, et de nombreux groupes arrivaient à travers les allées, quittant les salles de jeux, les salons, les galeries et les salles de projection qui occupaient cette aile.

Après le concert et le dîner de onze heures, les danses commençaient, prenant l'allure d'un véritable bal, mais Andrée préférait se coucher tôt car les tournois de tennis commençaient le lendemain à la première heure pour les plus matinaux.

Un domestique la conduisit à l'étage des chambres, par les escaliers, les boudoirs en clairière et les paliers à balustrades. Bien que les larges couloirs feutrés fussent assez retirés des salles de réception, on y entendait encore la rumeur de l'activité ambiante et le son diffus et inconstant de l'orchestre, qui arrivait par lambeaux.

Sa chambre était entièrement tendue d'avray rose et de dentelles. Le tout meublé avec opulence, sur des tapis très riches, et complété d'un magnifique lit grégeois. Elle trouva dans les commodes tous les accessoires, les articles de toilette, et la lingerie qui pouvaient lui être utiles.

Elle ne se coucha pas tout de suite, mais prit un livre et s'enfonça dans un fauteuil. Elle avait laissé les battants de la porte ouverts, mais masqués par les rideaux roses complètement tirés; à travers cette tenture montaient les bruits du bal, un peu incertains et inconsistants, étouffés, mais qui lui semblaient doués d'une vie et d'une chaleur particulières; et quand ces vagues sonores, affaiblies, distantes, hachées, semblaient devoir s'éteindre comme sous l'effet de quelque courant contraire, et qu'il n'en restait, une seconde, qu'un bruissement résiduel, elles restaient pourtant inextinguibles, irréductibles, comme une trame définitive et éternelle.

Cette chambre lui semblait une véritable retraite, un nid, une cellule, comme le dernier réduit de sa fuite.

Elles restèrent là trois jours. À la fin, elles avaient perdu toute notion du temps. Si dans leur sommeil, elles se réveillaient soudain en pleine noirceur et tiraient les rideaux, elles pouvaient aussi bien être aveuglées par un soleil d'après-midi, ou se retrouver en pleine nuit, à contempler les jardins obscurs et déserts qui s'étendaient jusqu'à l'autre aile, bien éclairée et tranchant sur le ciel nocturne, où régnait une activité de fête.

* * *

Ces scènes s'étaient imposées à Andrée par leur atmosphère particulière, leur intensité. Il lui sembla plus tard que c'était là la dernière fois de sa vie où elle eût subi vraiment l'emprise de l'ambiance extérieure, où elle ne se fût pas sentie, comme d'habitude, étrangère à ce qui pouvait l'entourer. Car, de plus en plus, ses gestes mécaniques, ses poses distraites et sans conviction, lui semblaient détonner sur son environnement, et elle n'était pas loin de croire déceler à tout propos l'agression du monde qui l'entourait.

Avec le temps, l'aspect marquant de ces scènes s'estompa. Et il n'en resta qu'une impression simple et primitive.

Quelque temps après, elle changea de travail, mais ne s'éloigna pas des mêmes lieux et des mêmes gens.

18

Andrée avait maintenant vingt-six ans. Depuis un an, elle n'apercevait Laure que plus
rarement. Celle-ci avait changé de groupe et
avait pris l'habitude de dîner avec un ami qu'Andrée connaissait, qui avait été, en fait, un de ses
propres camarades de collège. Celui-ci s'appelait Luc; Andrée le saluait quand elle le croisait,
comme cela lui était naturel, mais sans entamer
sérieusement la conversation. Il arriva finalement, une bonne fois, qu'elle se trouva nez à
nez avec lui pendant que Laure l'attendait justement quelques pas plus loin. Ils échangèrent
quelques phrases, puis Andrée, sans chercher à
tirer quelque parti de ce hasard, s'éclipsa.

De temps en temps, obtenant maintenant
ce qu'elle ne réussissait pas du temps où cela
eût pu être utile, Andrée dînait avec Jean-Char-

les; et c'était chaque fois une occasion importante, parce que celui-ci connaissait bien Laure et ne manquait pas de l'aborder chaque fois qu'il la rencontrait. Une fois où Andrée et Jean-Charles dînaient ensemble et que Laure passait près d'eux, Jean-Charles l'attrapa. Laure sembla pressée et eut l'air de répondre à ses questions presque contre son gré. Il lui demanda de ses nouvelles, si elle était toujours mariée? Et toujours heureuse? Et, tout de suite, elle s'échappa.

À cette période, les rêves toujours plus insistants d'Andrée s'étaient encore précisés. Plus rares, ils avaient cependant atteint une netteté sans artifice et sans ambiguïté. La charge émotive en était plus bouleversante. La plupart du temps, Andrée se retrouvait dans quelque endroit public où elle attendait Laure, soit dans un train, ou à l'entrée d'un théâtre, ou, le plus souvent, dans une sorte d'immense réfectoire bondé où il fallait se lever et se rasseoir cent fois. Enfin, Laure apparaissait, passait devant elle, mais sans tourner la tête de son côté, ou bien en regardant nonchalamment à travers elle comme si elle fût invisible. D'autres fois, Laure s'avançait droit sur elle, puis au dernier instant bifurquait ou disparaissait comme par magie, ou encore s'éloignait soudain, entraînée par quelqu'un ou emportée dans la foule. Puis les rêves subirent une nouvelle évolution, et, à la fin, ils prenaient un autre dénouement: dans une seconde insoutenable, Laure lui parlait! ou lui faisait quelque signe comme à une amie! ou bien, fixant sur elle de grands yeux intenses, se rapprochait en souriant et avançait la main pour la toucher! Elle ne supportait jamais cette seconde, et se réveillait comme sous l'effet d'un choc, avec une impression de sublime extase qu'elle ressentait encore pour une vague raison dont elle ne percevait déjà plus les détails. Et ce réveil prenait un goût amer et désespérant, comme si quelque bonheur irrécupérable lui avait été arraché.

Mais cette passion imaginée s'était complètement et finalement dissociée de sa vie, abandonnant de s'y intégrer; et, comme des univers parallèles de dimensions différentes, ces deux mondes ne s'assemblaient pas et s'entrepénétraient sans s'influencer.

19

Quelques mois plus tard, Laure disparut. Peu après, Andrée fit la connaissance d'une ancienne amie de Laure, et il ne lui fut pas difficile d'obtenir sur elle quelques détails, tout en s'assurant que ses questions eussent l'air bien naturelles. Elle apprit d'abord que Laure était enceinte; et, plus tard, qu'elle avait accouché d'un garçon. Mais ce qui lui sembla le plus inouï de tout ce qui lui était révélé fut de s'apercevoir qu'elle avait fait erreur sur son nom! Elle ne s'appelait même pas Laure! Le dernier palier du ridicule était atteint. De fait, ce nom, c'est de Jean-Charles — qui la connaissait peu — qu'elle avait cru l'apprendre. Elle n'avait jamais pensé à vérifier. Et lui s'était trompé. Cela lui apparut de la dernière ironie! Il ne manquerait finalement aucun des éléments capables de contribuer à cette faillite complète.

Mais, en fait, quelle importance cela avait-il? Qu'y a-t-il dans un nom? Le nom ne faisait rien à l'affaire! Le nom que l'on emprunte peut bien valoir le vrai. Le nom qu'on ne choisit pas reste étranger ou suspect. On peut tomber sur cent noms! Un nom qui vous révèle et vous campe, ou un nom qui trompe! Un nom acquis, entretenu, héréditaire! Ou un nom factice et retors! Un nom chevaleresque et courtois, Laure ou Aude! Ou royal, ou commun, Régine ou Michelle! Nom aimé, nom caché, nom volé ou forgé!

*Ne m'attends pas ce soir, car la
nuit sera noire et blanche.*

Gérard de Nerval
(Lettre 359)

20

Durant les années qui suivirent, Andrée fit quelques voyages. Elle ne fit pas que ça, mais, d'instinct, elle reniait ce qui manquait totalement d'exotisme ou de lumière. La vie — en tout cas la part de sa vie à laquelle elle attachait quelque valeur — lui apparaissait comme un assemblage, morcelé et rabouté, d'une curieuse richesse de tons, de perspectives, d'impressions, où chaque pièce, enracinée et macérée, devenait douloureuse à remuer. Seul le parfaitement artificiel, l'opératoire, le logistique, exigeait d'elle assez peu d'engagement et d'implication pour être consenti sans réticence, en tout élitisme, sans faire contraste à ses tendances les plus sceptiques — et, par certains côtés, même cyniques.

De ces voyages, des tableaux subsistaient, plus marquants, qui, à demeure, auraient fonction de les représenter et de les résumer.

Ainsi cet après-midi d'orage à Nassau, au «Grand hôtel colonial», où on avait passé des heures à vider quelques Heineken. Ce jour-là, jour de congé, la ville semblait morte, cette ville où pourtant tant de monde était passé, mais qui semblait maintenant désolée. Cette salle, qu'on eût dit faite dans un temps ancien pour de grands bals et de riches séjours, ne s'était pas adaptée au rythme moderne, et on en éprouvait une impression aiguë de vide et de fixité.

D'autres scènes représentaient les éclaircies les plus éblouissantes: en pays de Galles, ce col, à la crête même du plateau, où se dégageait subitement un horizon infini, et où on croyait se glisser sur la cîme rocheuse au dos arrondi, à laquelle on craignait d'échapper, ne se sentant plus retenu par le décor surbaissé dont la force de gravité semblait faiblir.

Bruges, Luxembourg, Amsterdam, Zürich...

Zürich!... Ce jour-là, Andrée s'était égarée en cherchant son hôtel. En remontant la rue en pente, aux pavés arrondis, qu'elle croyait reconnaître, elle s'était butée à une impasse. Elle fit une halte dans un café qui se trouvait là. Puis elle décida de héler un taxi, craignant de ne pas retrouver son chemin. Mais, changeant d'idée, remarquant quelques boutiques autour d'elle, elle y passa un peu de temps. Soudain, elle reconnut une adresse qu'elle avait cherchée et où elle avait affaire. Comme elle sortait de là, un autre café, encastré dans une façade bigarrée, attira son attention. Elle y entra et alla s'asseoir. Le décor qui l'entourait lui sembla soudain étrange, comme si quelque détail insolite qu'elle n'identifiait pas l'eût inconsciemment frappée. Mais elle ne trouva rien. Il n'y avait personne. Autour d'elle tout était calme et naturel.

Mais il reconnaît bien maintenant dans l'obscurité une glorieuse lueur qui jaillit éternellement de la porte de la loi. À présent, il n'a plus longtemps à vivre. Avant sa mort toutes les expériences de tant d'années, accumulées dans sa tête, vont aboutir à une question que jusqu'alors il n'a pas encore posée au gardien. (...) «Si chacun aspire à la loi, dit l'homme, comment se fait-il que durant toutes ces années personne autre que moi n'ait demandé à entrer?» (...) «Ici nul autre que toi ne pouvait pénétrer, car cette entrée n'était faite que pour toi.»

Franz Kafka
(Devant la loi)

FIN

Achevé d'imprimer sur les presses
des ateliers Marquis Ltée de Montmagny
en décembre 1975
pour le Cercle du Livre de France Ltée